숭실대학교 한국문학과예술연구소 학술총서 50

소동파 시선

황주黃州유배와 사환후기仕宦後期

소동파 著
조규백 譯

明文堂

역자 서문

一

소동파(蘇東坡 : 본명 蘇軾, 1036-1101)는 중국 북송조 최고수준의 문인으로 정치가 · 예술가이기도 하다. 또한 그는 자연을 애호하여 새로운 곳으로의 여행을 좋아했으며, 경학(經學), 요리하기, 술의 제조, 차의 품평, 서예, 그림, 그리고 예술감식 등 다방면에 걸쳐 뛰어난 최고의 지성인이다. 그는 '독만권서(讀萬卷書)'와 '행만리로(行萬里路)'를 실천하였으며, 일기를 쓰듯, 편지를 쓰듯 시를 지었다. 그만큼 기록을 중시한 문인이다.

필자가 컴퓨터를 모르던 시절인, 25년 전쯤에 카드에다 동파 시를 번역해 놓았는데, 꽤나 두툼했다. 후에 제주의 목요한문강좌에서 동파 시를 강(講)하게 되면서 그때그때 컴퓨터에 입력해 놓았다. 그리고 최근 본서 『소동파 시선 - 황주黃州유배와 사환후기仕宦後期』의 마무리 작업에도 겨울방학 내내 많은 시간과 공력이 들었다.

二

당시(唐詩)와 대비할 때, 송시(宋詩)는 1. 철학적・논리

적임, 2. 서술의 섬세화, 3. 자기 생활에의 밀착, 4. 산문화의 경향, 5. 시의 평담화 등의 특징이 있다.(김학주 역, 『宋詩選』, 명문당, 2003, 30-60쪽) 소동파 시는 이러한 송시의 특징을 한몸에 두루 갖추고 있다. 이러한 전제하에, 소동파 시의 특징은 다음과 같다.

첫째, 순간순간의 진실한 감정이 자연발로되고 있다. 또한 대상에 대한 순간적 형상을 적확히 표현하는 데 뛰어났다.

둘째, 전고가 다양하여 고금의 삼라만상을 아우르고 있어 효과적으로 의미를 전달할 수 있었지만, 후대의 독자 입장에서는 그만큼 난해하기도 하다.

셋째, 자아를 표현하였으며, 지속적으로 '자기 자리찾기' 작업을 추구하고 있다.

넷째, 읽는 시로서의 경향이 강해 암송하거나 노래하기가 쉽지 않다.

다섯째, '시가의 표현이 생활의 원모습과 일치되어'(王水照 說), 생활에의 밀착적인 경향이 있다.

여섯째, 그의 시에는 문제의 발생으로 인한 비애와 고뇌가 생김, 거시적인 시야로 문제의 실체 파악, 발상의 전환을 통해 초월, 달관을 지향함 등이 있는데, 이 세 가지는 순환적인 구조를 지니고 있다. 고뇌의 주체가 극복의 주체가 되어 정신적인 평형상태를 유지시킨다. 그는 어느 시나 또는 다른 일련의 시에서 그 문제에 대한 해답을 얻고자 탐색하고 있으며, 궁극적으로 그 해결을 이룬 경우가 많다. 한 수 시에서 어떤 문제를 제기하고는, 그 시 안에, 혹은 일련의 시 안에 그 해결점도 함께 마련해 놓고 있다.

일곱째, 그의 시는 구심력과 원심력, 긴장과 이완, 출사와 은퇴, 강직함과 유연함, 예리함과 소탈함 등의 이원적(二元的) 구조로 이루어져 있다. 곧 현실지향과 낭만지향이라고 대표할 수 있는 이 양자가 팽팽히 내적 긴장을 이루며, 궁극적으로는 조화를 이루고 있다.

여덟째, 그의 시는 자유분방하여 파란곡절이 많고, 작자 자신의 정감을 다 드러내고자 하는 경향이 있다.

아홉째, '구어입시(口語入詩)', '이속위아(以俗爲雅)'적 경향이 있다.

이외에도 동파는 어떤 대상을 묘사함에 있어 그 핵심을 한마디로 압축하여 표현하는 경우가 많다. 대체로 그 평가가 함축적이고 타당성을 지니고 있다.

三

청대(淸代)의 평론 3조(條)를 통해 동파의 문학, 특히 시의 특징을 살펴보자.

1. 심덕잠(沈德潛)은 소동파 시문의 특징에 대해 다음과 같이 평하였다.

소자첨(蘇子瞻)의 가슴에는 커다란 용광로가 있어 금, 은,

납, 주석 등이 모두 그 안에서 용해된다. 그 붓이 초광(超曠)하여 천마(天馬)가 굴레를 벗어나고 하늘을 나는 신선이 노니는 듯 종잡을 수 없이 변화무쌍하여 마치 의중에 있는 것이 나오려고 하는 바와 같다.

蘇子瞻胸有洪爐, 金銀鉛錫, 皆歸鎔鑄. 其筆之超曠, 等於天馬脫羈, 飛仙遊戲, 窮極變幻, 而適如意中所欲出.
(沈德潛,『說詩晬語』卷下)

여기서 그는 소동파의 가슴이 커다란 용광로와 같아 무엇이든지 용해시켜 자기 것으로 만들 수 있으며, 더욱이 그 필세가 초광(超曠)하여 천마(天馬)·비선(飛仙)과 같아 한계가 없이 변화무쌍하게 자유자재로 노닌다고 하였다.

2. 동파의 천재적인 재주와 식견에 대하여 쓴 왕십붕(王十朋)의 평론을 보자.

동파선생의 뛰어난 재주와 빼어난 식견은 우뚝 일세(一世)에 으뜸이다. 평생 경전(經典)을 헤아렸고, 자서(子書)와 사서(史書)를 관통하였으며, 아래로 소설·잡기(雜記)·불경·도가서(道家書)·고시(古詩)·방언(方言) 등을 모두 궁구하지 않은 것이 없었다. 그러므로 비록 천지(天地)의 조화(造化)나 고금(古今)의 흥망, 풍속의 성쇠(盛衰) 및 산천(山川)·초목·금수(禽獸)·어패(魚貝)·곤충 등까지 모두 그 기틀을 통찰하고 그 묘리(妙理)를 관통하여 흉중에 쌓인 문장이 되어, 장강대하와 같이 깊고 넓게 펼쳐져 만상의 변화를 알아낸다. 한 번

읊조리는 사이에 파란(波瀾)이 되어 흘러나오는 시를 어찌 한두 사람의 학식으로 그 끝을 헤아릴 수 있겠는가?

東坡先生之英才絶識, 卓冠一世, 平生斟酌經傳, 貫穿子史, 下至小說·雜記·佛經·道書·古詩·方言, 莫不畢究. 故雖天地之造化, 古今之興替, 風俗之消長, 與夫山川·草木·禽獸·鱗介·昆蟲之屬, 亦皆洞其機而貫其妙, 積而爲胸中之文, 不啻如長江大河, 汪洋閎肆, 變化萬狀, 則凡波瀾于一吟一詠之間者, 詎可以一二人之學而窺其涯涘哉.

(王十朋, <集註分類東坡先生詩序>)

위에서 왕십붕(王十朋 : 王十朋이라고 서명된 것)은 소동파 시를 주석한 경험을 통해, 동파가 요즘으로 말하면 인문과학, 자연과학에 해당하는 학문 전반에 통달한 뛰어난 재주와 식견의 보유자임을 인정하고 있다. 이렇게 왕십붕은 동파가 당시까지의 모든 서책(書冊)에 박통하며 천지의 조화, 고금의 흥망, 풍속의 성쇠 등의 기틀을 통찰하고 묘리를 관통하고 있어, 그것이 가슴속에 쌓여 시로 표현하니, 한두 사람의 학식으로는 그 한계를 헤아릴 수가 없다고 토로하고 있다.

3. 이제 조익(趙翼)의 견해를 살펴보자.

산문으로 시를 쓰는 경향[以文爲詩]은 한유(韓愈)로부터 시작되었으며, 소동파에 이르러서 더욱 그 말을 크게 부려 새로운 국면을 열어서 일대의 장관을 이루었다.

이제 평심(平心)으로 그의 시를 읽어보니, 그는 재사(才思)가 넘쳐흘러 부딪치는 곳마다 생기가 일어나고, 흉중에 서권(書卷)이 가득하여 그때그때 두루 응용할 수 있어 뜻대로 되지 않는 것이 없다. 더욱이 따를 수 없는 것은 천부적(天賦的) 건필(健筆) 한 자루가 상쾌하기가 말릉(秣陵)의 애씨 집안[哀家]에 있던 맛 좋은 배와 같고, 예리하기는 병주산(幷州産) 가위와 같아서, 은미한 구석까지 다 도달하고 드러내지 못할 사정이 없다. 이런 까닭에 이백(李白)과 두보(杜甫)의 뒤를 계승하여 대가가 될 수 있었다.

그러나 이백·두보와 같지 않은 곳도 역시 여기에 있다. 대개 이백의 시는 높은 구름이 허공을 노니는 것 같고, 두보의 시는 교악(喬嶽)이 하늘에 치솟아 있는 것 같으며, 소동파의 시는 물이 대지를 흘러 내려가고 있는 것 같다. 시를 읽는 자가 이런 곳에 착안하게 되면 가히 이 세 분의 진면목을 알 수 있을 것이다.

以文爲詩, 自昌黎始. 至東坡益大放厥詞, 別開生面, 成一代之大觀. 今試平心讀之, 大概才思橫溢, 觸處生春, 胸中書卷繁富, 又足以供其左旋右抽, 無不如志. 其尤不可及者, 天生健筆一枝, 爽如哀梨, 快如幷剪, 有必達之隱, 無難顯之情. 此所以繼李杜後爲一大家也. 而其不如李杜處亦在此. 蓋李詩如高雲之游空, 杜詩如喬嶽之矗天, 蘇詩如流水之行地, 讀詩者於此處着眼, 可得三家之眞矣.

(趙翼, 『甌北詩話』 권5)

조익(趙翼)은 한유(韓愈)에게서 시작된 시의 산문화[이

문위시以文爲詩] 경향을 동파에 이르러 발전시켜 하나의 새로운 상황을 열어, 일대의 장관을 이루었다고 하였다. 송대(宋代)에는 부정적인 각도로 평론된 적이 있던 '이문위시(以文爲詩)'를, 그는 긍정적 측면에서 재조명하였다.

이어서 소동파 시는 가슴속의 서권기(書卷氣)가 배어나와, 그 이미지가 신선하고 생동하다고 하였다. 그리고 창의성, 풍부성, 학력(學力), 재주 등이 넘쳐 작품이 뜻대로 이루어지고 있으며, 은미한 구석까지 다 도달하여 드러내지 못할 것이 없다고 하였는데, 이는 동파 자신이 언급한 바 있는 '진의(盡意 : 뜻을 다함)'적 성향을 보다 생동적으로 표현한 것이다. 그리고 이러한 특성이 바로 소동파가 대가가 된 까닭이라고 하였다. 아울러 소동파의 시를 이백의 시 · 두보의 시와 대비하여 이 3인의 핵심을 포착하고 있다.

四

소동파는 고려 · 조선시대의 한문학(漢文學)에 가장 큰 영향을 준 중국 문인 중의 한 사람이다. 특히 『동인시화(東人詩話)』 권상(卷上)에서, 서거정(徐居正)은 "고려 문인은 오로지 동파를 숭상하여, 과거 급제자의 방이 나붙을 때마다, 사람들이 말하길, '33인의 동파가 나왔구나'라고 하였다(高麗文士專尙東坡, 每及第榜出, 則人曰 : '三十三東坡出矣!')"고 하였다. 이를 통해 고려시대 문인이 소동파를 학문과 문장의 최고 모범으로 삼았음을 반증하고 있다.

이는 "고려시대 문인들이 과거 급제 전에는 과거시험 준비 때문에 풍월을 일삼을 겨를이 없다가, 과거 합격 후에야 부담 없이 시 짓기를 배우는 데 그 가운데 소동파의 시를 더욱 좋아하게 된다"(李奎報, 「答全履之論文書」)라는 말과 관련되어, 당시 소동파 문학의 유행도를 상징한 것이기도 하다. 또한 고려 고종(高宗) 23년 몽고 침입의 와중에서 전주(全州)에서 소동파문집을 중각(重刻)했던 사실에서도 당시의 소동파 열기를 짐작하게 해준다.

조선시대에 이르러서도 많은 문인이 소동파의 「적벽부(赤壁賦)」를 애호하여 각지에서 "적벽선유(赤壁船遊)"의 기풍을 재현한 점이나, 조선 후기 일단의 시인들이 "배파회(拜坡會 : 소동파를 숭배하는 모임)"를 성립시켜 소동파의 생일을 기념하는 시회(詩會)를 개최하고 있다는 사실은 당시 문인의 소동파 애호 풍조를 실증하고 있다.

五

가르침을 주신 고(故) 연청(硏靑) 오호영(吳虎泳) 노사(老師)와 그 아드님 오규근(吳圭根) 선생님, 제주의 목요 한문강좌에서 여러 해 동안 소동파의 시와 사(詞), 그리고 산문을 강(講)할 기회를 주시고 물심양면으로 도와주신 김익수(金益洙) 선생님께 감사드린다.

좋은 책 출판의 큰 뜻을 지니신 김동구 사장님, 편집과

교열을 맡아 힘써주신 이은주 선생님, 그리고 관계자 여러분께도 고마움을 표한다. 착오와 미흡한 점이 있다면 모두 역자의 책임이다. 제현(諸賢)의 질정(叱正)과 관심을 기다린다.

방배(方背) 상우재(尙友齋)에서

조규백 쓰다

2016년 2월 19일

범례凡例

1. 본 역주는 황주(黃州)유배기와 사환후기(仕宦後期)의 소동파 시 100수를 정선(精選)하였다.

2. 본 역주의 저본은 (淸) 王文誥 輯註, 孔凡禮 點校, 『蘇軾詩集(全8冊)』(中華書局, 1982 第1版, 1987 2刷)에 의거하는 것을 원칙으로 한다. 이를 따르지 않을 경우, 주석에 『소식시집(蘇軾詩集)』의 시어를 명시한다. 수록 작품은 창작연대순으로 배열하고, 창작연대를 알 수 없을 경우에는 대략의 연대를 참작하여 배열하였다.

3. [해제]는 상당수 필자가 작성하였으며, 일부 타인의 설을 인용하였는데, 그 출처는 다음과 같이 약칭(略稱)한다.

- 孔凡禮,・劉尙榮 選注,『蘇軾詩詞選』中華書局, 2005. (약칭 : 孔劉)
- 吳鷺山・夏承燾・蕭湄 合編,『蘇軾詩選註』 百花文藝出版社, 1982. (약칭 : 吳夏蕭)
- 王水照 選注,『蘇軾選集』 上海古籍出版社, 1984 第1版, 1999 3刷. (약칭 : 王1)

- 왕수이자오 著, 曹圭百 譯,『소동파평전 - 중국의 문호 소식의 삶과 문학』 돌베개, 2013. (약칭 : 王2)
- 王水照·王宜瑗 選注,『蘇軾詩詞選注』 上海古籍出版社, 1990. (약칭 : 王王)
- 劉乃昌 選注,『蘇軾選集』 齊魯書社, 2005. (약칭 : 劉)

4. [原詩題目 韓譯], [原詩題目], [번역시], [原詩], [주석], [해제] 순서로 배열한다.

5. 書名 표시 :『 』, 作品 표시 :「 」

6. 작품 이해의 편의상 번역시에서 칸 띄우기를 시도하였다.

7. 부록으로 [소동파 연보], [소동파의 관직이동표], [소동파 시 작품 색인]을 두어 참고하기에 편하도록 하였다.

목 차 目次

一 · 황주黃州유배

1. 진주에서 문일민과 이별주를 마시고 손잡고 강둑 위에서 이 시를 짓다
陳州與文郎逸民飮別, 攜手河堤上, 作此詩

흰 술 소리 없이 주루룩 가슴에 쏟아 붓고
취하여 강둑을 거닐며 나의 근심을 털어본다.
봄바람 세차게 돌개바람 되어 휘돌고
강물은 아득히 오이덩굴처럼 맴돌아 흐른다.

그대는 돌아갈 생각하여 파협(巴峽)을 꿈꾸고
나는 황주에 도착하지 않아도 괴로움 말할 수 있다.
이 몸 만나고 헤어짐 어찌 끝이 있겠는가
차마 서글픈 노래로 궁지에 처한 초나라 죄수를 배우지는 못하겠네.

白酒無聲滑瀉油, 醉行堤上散吾愁.
春風料峭羊角轉, 河水渺緜瓜蔓流.
君已思歸夢巴峽, 我能未到說黃州.
此身聚散何窮已, 未忍悲歌學楚囚.

— 권20

◎ 주 석 ◎

- 文郎逸民(문랑일민) : 문일민(文逸民). 이름은 무광(務光). 동파의 아우 자유(子由)의 사위이다. 그러므로 문서방[文郎]이라고 불렀다.
- 料峭(요초) : 으슬으슬하다. 쌀쌀하다. 날카롭다. 세차다.
- 羊角(양각) : 돌개바람. 회오리바람.
- 渺緜(묘면) : 아득하게 멀다.
- 楚囚(초수) : 초나라의 포로. 『좌전(左傳)』「성공 9년(成公九年)」 – "진나라 제후[진경공晉景公]가 군대 부서를 시찰하다가 종의를 보고 '남방의 모자를 쓰고 묶여 있는 자는 누구인가?'라고 묻자, 담당자가 '정나라 사람이 바친 초나라의 포로입니다'라고 했다. 제후가 그를 풀어주라고 했다(晉侯觀於軍府. 見鍾儀, 問之曰, '南冠而縶者誰也?' 有司對曰, '鄭人所獻楚囚也.' 使稅之)." 초수(楚囚)는 궁지에 처한 사람을 뜻하는 말로 쓰인다.

◎ 해 제 ◎

진주(陳州)에서 소철(蘇轍)의 사위 문일민과 이별주를 마시고 봄바람 불 때 강둑을 거닐며 지은 시이다. 황주 유배지에 도착하기 전에 그 괴로움을 느낄 수 있다는 것에서, 앞으로 다가올 유배생활에 대해 어느 정도 긴장하고 있음을 알 수 있다.

2. 매화 2수
梅花 二首

2-1. 其一

봄이 오자 그윽한 골짜기엔 냇물이 졸졸 흘러
반짝반짝 매화가 가시풀 사이에 선명하게 피었다.
하루 밤새에 봄바람이 돌이 깨질 정도로 불더니
반은 날리는 눈 따라 매화꽃이 관산을 넘었다.

春來幽谷水潺潺， 的皪梅花草棘間.
一夜東風吹石裂， 半隨飛雪度關山.

\- 권20

주 석

- **潺潺**(잔잔) : 졸졸. 시냇물이 흐르는 모양.
- **的皪**(적력) : 반짝반짝. 선명하다. 선명한 모양.
- **東風**(동풍) : 봄바람.
- **關山**(관산) : 황주(黃州)로 가는 길에 있다. 산중을 가다보면 관문이 많은데, 지리지에, '마성현(麻城縣)에는 호두(虎頭), 황토(黃土), 목릉(木陵), 백사(白沙). 대성(大城) 등의 다섯 관문이 있다'고 한다.

◎ 해 제 ◎

45세(원풍元豐 3년, 1080년) 정월, 황주로 부임하면서 마성현(麻城縣) 춘풍령(春風嶺)을 지날 때 지었다. 과장법을 사용하여 바람이 매화에 불어 관산을 날아 넘는 정경과, 매화가 날리는 모습을 부각시키고 있다. 작자의 영락한 신세가 드러나고 있다.

2-2. 其二

누가 술을 들어 깊고 그윽한 매화를 위로할까
피어도 무료하고 질 때엔 더욱 근심스럽다.
다행히 맑은 시냇물 삼백구비 있어
황주까지 마다 않고 나를 전송한다.

何人把酒慰深幽, 開自無聊落更愁.
幸有青溪三百曲, 不辭相送到黃州.

\- 권20

◎ 주 석 ◎

- **深幽**(심유) : 깊고 그윽하다. 여기서는 매화를 가리킨다.
- **開自無聊落更愁**(개자무료락갱수) : 피어도 무료하고 질 때엔 더욱 근심스럽다. 여기서는 그윽한 매화로 자신을 비유하고 있다.

◎ 해 제 ◎

사람과 매화가 더욱 밀접하게 결합되어 있다. 시인은 매화를 위로하고 떨어지는 매화꽃은 유배 가는 동파와 함께하고 있다. 청고(淸高)함으로 자부하는 뜻과 함께 실의, 근심을 드러내고 있다. (王王)

유배지로 가는 도중에 매화에 자신의 감정을 이입하였다. 친구로서의 매화와의 동류의식과 수심, 그리고 유배지로 가는 쓸쓸함을 드러내고 있다. 다행히 시냇물이 무료함을 없애주고 있다. 자연물을 인격체로서 대하고 있다.

3. 진계상이 소장하고 있는 '주진촌 혼인풍속도' 2수, 其二

陳季常所蓄朱陳村嫁娶圖 二首, 其二

나는 주씨·진씨 마을의 옛 지주(知州)로
일찍이 농사 장려하느라 행화촌에 들어갔었지.
그런데 지금은 풍물을 어찌 그릴 수 있으리
관리가 세금을 독촉하러 밤에도 문을 두드린다오.

我是朱陳舊使君, 勸農曾入杏花村.
而今風物那堪畫, 縣吏催錢夜打門.

– 권20

◎ 주 석 ◎

- **陳季常**(진계상) : 진조(陳慥). 호는 방산자(方山子), 촉(蜀) 미주(眉州) 사람. 그의 부친 진공필(陳公弼)이 봉상지부(鳳翔知府)로 있을 때, 동파도 그곳에서 첨서판관(簽書判官)으로 있으면서 진계상과 서로 알고 지냈다. 후에 진공필은 낙양(洛陽)으로 이사하고, 동파는 황주로 폄적되었는데, 진계상은 자주 동파와 노닐었다.
- **蓄**(축) : 수장하다.
- **朱陳村**(주진촌) : 서주(徐州) 소현(蕭縣) 동남쪽 백리에 있다.

행화촌(杏花村)은 주진촌과 연해 있다.

- 使君(사군) : 당송(唐宋)시대에 태수(太守)의 별칭. 소동파는 일찍이 서주지주(徐州知州)를 역임했었다.

◎ 해 제 ◎

45세(원풍 3년, 1080년)에 황주에서 지었다. 이는 작자가 진계상을 위해 그가 소장한 그림에 쓴 제화시이다. 주진촌(朱陳村)은 주씨(朱氏)와 진씨(陳氏)가 사는 마을로, 대대로 서로 혼인하여 왔다. 동파가 서주지주(徐州知州)로 있을 때 농사를 장려하러 풍속이 소박하고 아름다운 주진촌에 온 적이 있다. 그런데 지금 관리가 세금을 독촉하고 있다. 옛날과 지금의 풍속도를 대비하고 있다.

4. 처음 황주에 이르러

初到黃州

스스로 우스워라, 내 한평생 입을 위해 바빴구나
늘그막에 하는 일이 더욱 황당하기만 하여라.
성곽을 굽이 도는 장강을 보니 고기맛 좋으리라
온 산에 아름다운 대나무라 죽순 향내 느껴진다.

귀양살이 온 나그네라 원외랑직도 무방한 것
시인들은 으레 수조랑 벼슬 되었더라.
다만 부끄럽기는 실오라기만한 일도 나라에 보탬 없이
오히려 관가의 술자루만 허비하는 것이라네.

自笑平生爲口忙, 老來事業轉荒唐.
長江繞郭知魚美, 好竹連山覺筍香.
逐客不妨員外置, 詩人例作水曹郞.
只慚無補絲毫事, 尙費官家壓酒囊.

\- 권20

◎ 주 석 ◎

• 爲口忙(위구망) : 입을 위해 바쁘다. 입 때문에 바쁘다. 중의법

을 쓰고 있다. 언어와 시작(詩作) 때문에 득죄하였고, 또 호구 지책 때문에 벼슬살이 하다가 화를 당했다. 이는 아울러 아래의 "고기맛 좋으리라", "죽순 향내 느껴진다"의 맛과 향기와 조응된다.

- **轉**(전) : 더욱더.
- **逐客**(축객) : 폄적당한 사람. 귀양 온 사람. 작자를 가리킨다.
- **員外**(원외) : 정원 이외의 관리.
- **水曹郎**(수조랑) : 수부(水部)에 예속된 관리. 양대(梁代)의 하손(何遜), 당대(唐代)의 장적(張籍), 그리고 송대의 맹빈우(孟賓于) 등의 시인은 모두 수부(水部)의 낭관(郎官)이 된 적이 있다. 동파도 수부원외랑(水部員外郎)에 책수되었다.
- **壓酒囊**(압주낭) : 술을 짜는 주머니. 송대(宋代)의 관리 봉급은 일부분은 현물로 지급되었는데, '절지(折支)'라고 한다. 검교관(檢校官)의 '절지'는 관청에서 양조용(釀造用)으로 쓰고 남은 술 자루로 지급된다.

◎ 해 제 ◎

45세(원풍 3년, 1080년) 2월에, 동파는 황주의 폄소(貶所)에 도착하여 이 시를 지었다. 호구지책을 위해 바쁨을 자조하기도 하고, 때로는 또 옛 시인과 같은 운명임을 자위하기도 하며, 또 나랏일에 보탬이 없다고 부끄러워하기도 하여 만감이 교차되고 있다. 시어가 조롱과 해학을 띠고 있으며, 주로 폄적에 담담히 대처하는 광달(曠達)한 작자의 정회가 구현되어 있다. (王王)

5. 정혜원에 우거할 때 달밤에 우연히 밖으로 나가다

定惠院寓居月夜偶出

귀양 와 갇혀 있는 나는 일이 없어 문밖에 나가지 않다가
우연히 봄바람을 따라 나서니 깊은 밤이 되었다.
삐죽삐죽한 나무 끝 사이로 달이 날아가는 듯하고
서리서리 얽힌 향불 연기는 달 아래로 피어 나온다.

강 구름은 자태가 맑고 아름다우며
아롱아롱 대밭의 이슬은 소리 없이 물방울 쏟아질 것 같다.
한들한들 가냘픈 수양버들이 수많은 줄기를 드리움에 놀라고
아직 덜 떨어진 매화가 한 가지 굽었다.

맑은 시 홀로 읊고는 또 홀로 흥얼거리며 화답하자
허연 술 이미 다 마셨으니 뉘라서 술을 빌려줄까.
청춘이 퍼뜩퍼뜩 지나가 버림은 아깝지 않으나
다만 기쁜 일이 해마다 나를 떠나갈까 두렵구나.

스스로 알겠네, 술 취해 시원한 솔바람소리 듣기 좋아함을
앞으로는 서리 맞은 숲에 자리 잡아 띳집을 짓고 살아야지.
모락모락 김 오르는 시루에는 늘 쌀밥 짓고
주룩주룩 떨어지는 술 거르는 체는 감자를 짜는 듯하구나.

술의 참맛은 늙을수록 더욱 짙어가고
취중의 미친 소리가 깨고 나니 두렵다오.
문 닫고 손님 사절하고는 처자를 마주하고
갓을 삐딱하게 쓰고 패물 찬 것 팽개치고 남이야 웃거나 흉보거나 관심두지 않는다.

幽人無事不出門, 偶逐東風轉良夜.
參差玉宇飛木末, 繚繞香煙來月下.
江雲有態淸自媚, 竹露無聲浩如瀉.
已驚弱柳萬絲垂, 尙有殘梅一枝亞.
淸詩獨吟還自和, 白酒已盡誰能借.
不惜靑春忽忽過, 但恐歡意年年謝.
自知醉耳愛松風, 會揀霜林結茅舍.
浮浮大甑長炊玉, 溜溜小槽如壓蔗.
飮中眞味老更濃, 醉裏狂言醒可怕.

閉門謝客對妻子, 倒冠落佩從嘲罵.

— 권20

◎ 주 석 ◎

- 定惠院(정혜원) : 옛 터가 지금의 호북성 황강(黃岡) 동남쪽에 있는데, 동파가 황주로 온 후 처음에는 이곳에서 거주했다.
- 寓居(우거) : 타향에 임시로 삶. 임시로 부쳐 살다.
- 幽人(유인) : 유배된 사람. 숨어사는 사람. 은자.
- 玉宇(옥우) : 달을 가리킨다.
- 亞(아) : '압(壓)'과 통함. 낮게 드리운 모양.
- 會(회) : 모름지기.
- 浮浮(부부) : 모락모락.
- 玉(옥) : 여기서는 흰 쌀이다.
- 溜溜(유류) : 주룩주룩.
- 倒冠落佩從嘲罵(도관락패종조매) : 갓을 삐딱하게 쓰고 패물 찬 것 팽개치고 남이야 웃거나 흉보거나 관심두지 않는다. 從嘲罵(종조매) : (남이야) 웃거나 흉보거나 관심두지 않는다. 멋대로 세상을 조롱하고 욕한다. 從(종) : 멋대로 하게 하다. 멋대로 맡기다.

◎ 해 제 ◎

45세(원풍 3년, 1080년)에 황주에서 지었다. 동파는 출옥한 후, 비록 원망과 풍자, 조롱과 해학의 말이 때로 나타나고, 호방하며 직설적이고 격렬한 기운이 제거되지 않았으나, 이 필화사건이 그에게 가져온 정치적인 험악한 처지는 그로 하여금 조심하고 근신하도록 했다. 입을 다물고 두문불출하거나 산수를 방랑하며, 어부와

나무꾼과 함께 어울렸다. 이 시는 바로 작자의 이러한 심정을 반영하고 있다. 전체 시는 청준(淸峻 : 맑고 고상함)하고 유한(幽寒 : 그윽하고 차가움)한데, 이러한 풍격은 동파시 가운데서는 결코 많이 보이지 않는다. 비록 고시이지만, 수미(首尾)의 두 연 외에는 구마다 대구를 이루고 있으며 구조가 정제되어 있어 또한 일반적인 동파시의 격조는 아니다. (王王)

6. 안국사에서의 목욕
安國寺浴

늙어감에 온갖 일 게을러져도
몸의 때는 씻고 싶어진다.
흰머리 귀에도 닿지 않으니
그래도 한 달에 한 번 머리감기가 번거롭다.

산성(山城)이라 땔감은 넉넉하여
안개와 수증기가 모락모락 햇빛 가린다.
먼지와 때가 얼마나 되랴마는
씻고 나니 금시에 굴레 벗은 듯 상쾌하다.

옷 걸치고 작은 누각에 앉아
머리를 풀어헤친 채 긴 대나무 대하니
마음의 고통과 온갖 인연이 모두 사라지고
몸의 안락함 침대 하나면 족하다.

어찌 더러움과 깨끗함만 잊겠는가
겸해서 영광과 오욕도 씻어내야지.
잠자코 돌아와선 말 많이 말고
이 이치 잘 보고 파악해야지.

老來百事懶，身垢猶念浴.
衰髮不到耳，尙煩月一沐.
山城足薪炭，煙霧蒙湯谷.
塵垢能幾何，翛然脫羈梏.
披衣坐小閣，散髮臨修竹.
心困萬緣空，身安一牀足.
豈惟忘淨穢，兼以洗榮辱.
默歸毋多談，此理觀要熟.

\- 권20

◎ 주 석 ◎

- 湯谷(탕곡) : 해 뜨는 곳.
- 翛然(유연, 숙연) : 사물에 얽매이지 않는 모양.

◎ 해 제 ◎

황주에 있는 안국사에서 목욕을 하니 상쾌하다. 목욕 후 작은 누각에 앉아 머리를 풀은 채 긴 대나무를 대하니, 고통과 온갖 인연이 사라지고 안락함을 느낀다. 더러움과 깨끗함을 잊고 영광과 오욕까지 잊는 경지에 이르렀다.

7. 나그네살이 하는 정혜원의 동쪽에 여러 꽃들이 산에 가득한 가운데 해당화가 한 그루 있는데, 이 지방 사람들은 이 꽃의 귀함을 모른다

寓居定惠院之東, 雜花滿山, 有海棠一株, 土人不知貴也

강을 낀 황주성은 습기가 많고 초목 무성한데
오직 이름 높은 해당화 한 그루 있어 아주 쓸쓸해 보인다.
빙긋 한 번 대울타리 사이에서 웃으니
온 산 가득한 복숭아꽃 오얏꽃은 모두 거칠고 촌스럽게 보인다.

응당 알겠다, 조물주가 깊은 뜻 있어
일부러 가인을 이 인적 없는 골짜기로 보낸 것임을.
자연스럽고 부귀한 모습은 하늘이 낸 자태이니
금 쟁반에 담아 화려한 집에 모셔 놓을 것도 없다.

붉은 입술 술 마신 듯 발그레 양볼 상기되고
푸른 소매[잎]가 엷은 비단을 말아 올리니 붉게 살갗

에 비친다.

깊은 숲에 안개 자욱하여 새벽빛은 더디지만
햇볕은 따뜻하고 바람은 살랑대어 봄잠 무르녹더라.

빗속에서 눈물을 흘리니 꽃은 또한 더욱 처량하고
달빛 아래 사람 아무도 없으니 꽃은 더욱 청초하다.

선생은 배불리 먹고 할 일 하나도 없어
이리저리 마음대로 거닐며 자기 배를 문지른다.
남의 집이건 절간이건 물어보지도 않고
지팡이 짚고 가서 문을 두드리고 길게 자란 대나무를 구경한다.

갑자기 절색가인 해당화가 늙고 시든 내 몸 비추니
탄식하며 말없이 병든 눈만 씻는다.

누추한 땅에 어디서 이 꽃이 났을까
호사가가 내 고향 서촉 땅에서 옮겨 온 것이 아닐까.
한 치의 뿌리라도 천리 길을 가져오기 쉽지 않으리니
씨를 물고 날아온 건 틀림없이 기러기와 고니일 거라.

하늘 끝에 흘러 왔으니 너나 나나 다 외로운 처지라
한 동이 술을 마시며 이 곡을 노래 부른다.

내일 아침 술 깨어 다시 홀로 와 볼 때면
눈 내리듯 후드득 떨어질 꽃잎을 어찌 차마 만지리.

江城地瘴蕃草木，　只有名花苦幽獨.
嫣然一笑竹籬間，　桃李漫山總麤俗.
也知造物有深意，　故遣佳人在空谷.
自然富貴出天姿，　不待金盤薦華屋.
朱脣得酒暈生臉，　翠袖卷紗紅映肉.
林深霧暗曉光遲，　日暖風輕春睡足.
雨中有淚亦悽愴，　月下無人更清淑.
先生食飽無一事，　散步逍遙自捫腹.
不問人家與僧舍，　拄杖敲門看修竹.
忽逢絶艶照衰朽，　歎息無言揩病目.
陋邦何處得此花，　無乃好事移西蜀.
寸根千里不易致，　銜子飛來定鴻鵠.
天涯流落俱可念，　爲飮一樽歌此曲.
明朝酒醒還獨來，　雪落紛紛那忍觸.

— 권20

◎ 주 석 ◎

• 江城(강성) : 강가의 성. 여기서는 황주를 가리키는데, 장강(長江)에 임하고 있어서 이렇게 불렀다.

- 苦幽獨(고유독) : 그윽이 혼자 자란다. 매우 쓸쓸해 보인다.
- 嫣然(언연) : 빙긋.
- 佳人(가인) : 해당화를 가리킨다. 의인법을 사용하고 있다.
- 空谷(공곡) : 빈 골짜기. 인적 없는 골짜기.
- 先生(선생) : 작자 자신을 말함.
- 好事(호사) : 호사가. 일을 벌여서 하기를 좋아하는 사람.
- 西蜀(서촉) : 서촉은 해당화가 많아 "향기로운 해당화가 나는 고장(香海棠國)"이라는 이름이 있다.

◎ 해 제 ◎

45세(원풍 3년, 1080년)에 지었다. 동파는 산을 노닐며 우연히 해당화를 보자, 정이 생겨 자신의 신세를 해당화에 기탁하고 있다. 앞 14구는 주로 의인법을 사용하여, 해당화를 하늘이 낸 자태, 부귀하고 맑음, 절색가인으로 비유하고 있다. "선생(先生)" 이하 14구는 회포를 서술하여 꽃으로써 자신을 비유하여, 똑같이 서촉 땅에 뿌리를 두었는데 누추한 땅에 떨어진 느낌을 표현하고 있다. 결미에서는 해당화가 시들 것을 예견하여 더욱 암담하고 처량하다. (王王)

8. 비가 갠 후, 걸어서 사망정 아래 연못에 이르렀다. 드디어 건명사 앞 동강에서 집으로 돌아오다 2수, 其一

雨晴後, 步至四望亭下魚池上, 遂自乾明寺前東岡上歸 二首, 其一

비가 지나가니 부평초가 물을 덮었고
개구리 울음소리 사방에 가득하다.
해당화는 참으로 한때의 꿈
새로 나온 매실은 먹고 싶구나.

지팡이 짚고 한가로이 나물을 캐니
그네만 매어 있고 사람은 보이지 않는다.
은근한 정취의 모란꽃은
홀로 스스로 남은 봄 가장 나중에 핀다.

雨過浮萍合, 蛙聲滿四鄰.
海棠眞一夢, 梅子欲嘗新.
拄杖閑挑菜, 鞦韆不見人.
殷勤木芍藥, 獨自殿餘春.

－ 권20

◎ 주 석 ◎

- 合(합) : "꽉 차다, 물을 덮다"라는 의미로 이해할 수 있다.
- 海棠眞一夢(해당진일몽) : 해당화는 참으로 한때의 꿈. 해당화가 시들었다는 의미이다.
- 拄杖(주장) : 지팡이를 짚다.
- 鞦韆(추천) : 그네.
- 木芍藥(목작약) : 황궁에서는 모란을 "목작약(木芍藥)"이라고 부른다.
- 殿(전) : 뒤에 있다. 전송한다. 여기서는 "맨 나중에 핀다"는 의미. 『논어(論語)』「옹야(雍也)」- 공자가 말했다. "맹지반은 공을 자랑하지 않았다. 패주하면서 군대 후미에 처져 있다가, 장차 도성 문을 들어가려 할 적에 말을 채찍질하며 '내가 (용감하여) 감히 뒤처지려는 것이 아니요, 말이 전진하지 못하여 뒤에 처졌을 뿐이다.'라고 하였다.(子曰, "孟之反不伐, 奔而殿, 將入門, 策其馬曰, '非敢後也, 馬不進也.')"
- 餘春(여춘) : 남은 봄.

◎ 해 제 ◎

45세(원풍 3년, 1080년)에 지었다. 이 시는 늦봄, 초여름에 비가 갠 후 모습을 묘사하고 있다. 보고 들은 것이 모두 제목에 부합하고 있다. 정경이 그림과 같아 자못 운치가 있다. (吳夏蕭)

9. 술을 보내주었다는 악(樂)저작랑의 시에 차운하여

次韻樂著作送酒

어렸을 적 잔병이 많아 술잔 들기도 겁내었는데
나이 늙어감에 바야흐로 술맛 훌륭함을 알게 되었다.
만 섬이나 되는 나그네 수심은 눈 같은데
봄날 빚은 술 한 병이면 끓는 물에 눈 녹듯 녹아내린다네.

少年多病怯杯觴, 老去方知此味長.
萬斛羈愁都似雪, 一壺春酒若爲湯.

\- 권20

주 석

- 萬斛羈愁都似雪(만곡기수도사설) : 만 섬이나 되는 나그네 수심은 눈 같은데.
- 一壺春酒若爲湯(일호춘주약위탕) : 한 병의 봄술이면 끓는 물에 눈 녹듯 스스로 녹는다. 春酒(춘주) : 봄에 담가 겨울에 익는 술. 신년 축하주.

◎ 해 제 ◎

동파는 어린 시절에는 술잔 들기도 겁내었는데 늙어감에 술맛의 짜릿함을 알게 되었다고 하고, 이어서 음주의 해우(解憂)작용을 설파하고 있다.

10. 새벽에 파하 어구에 이르러 자유를 맞이하다

曉至巴河口迎子由

작년 어사대 감옥에 갇혀 있을 때
사방이 벽으로 가로막혀 거동조차 할 수 없었지.
컴컴한 백 척(百尺)의 우물 안과 같아
하늘을 우러러봐도 한 구석 없이 꽉 막혔었지.

담장 너머에선 노래하고 부르는 소리 떠들썩한데
스스로 내 계책 글렀다고 한탄하네.
시를 짓고도 차마 적질 못하고
괴로운 눈물만이 종이와 붓을 적시었지.

이제 남은 생 또 얼마나 다행인가
즐거운 일은 오늘에 있으리.
강물은 거울 면처럼 맑은데
안개비는 살짝 휩싸여 있다.

외로운 배는 오리와 같이
천 이랑 푸른 물결을 갈라 나간다.
듣자하니 그대는 자호에 있다던데

만나려 한다면 지척 거리이다.

아침에 바람 부는 향내 좋고
배에 단 깃발은 서북쪽을 향한다.
장차 강물 흐름 가운데 그대를 마중 나가면
웃는 얼굴엔 맑은 광채 넘치겠지.

생각건대 이 지방에서 늙음을 보낼 만하니
긴 대나무밭엔 돌과 샘물 있네.
가씨의 숲을 사서
그대를 기다려 은거할 수 있기를 작정하네.

去年御史府, 擧動觸四壁.
幽幽百尺井, 仰天無一席.
隔牆聞歌呼, 自恨計之失.
留詩不忍寫, 苦淚漬紙筆.
餘生復何幸, 樂事有今日.
江流鏡面淨, 煙雨輕羃羃.
孤舟如鳧鷖, 點破千頃碧.
聞君在磁湖, 欲見隔咫尺.
朝來好風色, 旗脚西北擲.
行當中流見, 笑眼淸光溢.

此邦疑可老，　修竹帶泉石．

欲買柯氏林，　茲謀待君必．　　－ 권20

◎ 주 석 ◎

- **御史府**(어사부) : 어사대(御史臺) 감옥.
- **漬**(지) : 적시다.
- **冪冪**(멱멱) : 덮다.
- **磁湖**(자호) : 호북성 무창(武昌) 대야현(大冶縣)에 있다. 당시 소철(蘇轍) 일행은 수로(水路)로 오다가 풍랑을 만나, 배는 자호에서 이틀 머무르고 있었다.
- **行**(행) : 장차.
- **疑**(의) : 생각건대.
- **修竹**(수죽) : 긴 대나무.
- **茲謀待君必**(자모대군필) : 그대를 기다려 은거할 수 있기를 작정하네. 가씨(柯氏)의 언덕을 사려는 계획은 그대[아우]가 오면 결정하겠다.

◎ 해 제 ◎

45세(원풍 3년, 1080년) 5월 말, 동파의 아우 소철(蘇轍)은 남도(南都 : 하남성 상구商丘 남쪽)로부터 형수 왕윤지(王閏之)와 조카 소태(蘇迨), 소과(蘇過)를 데리고 황주(黃州)로 오게 된다. 동파는 파하(巴河 : 황강현黃岡縣 동쪽 43리) 어구로 그를 맞이하러 가서 이 시를 지었다. 먼저 작년 감옥에서의 처절한 고통의 정경을 추억하고, 그 다음에 황주에서 배를 타고 가족을 기다리는 정을 묘사하고 있다. 고난으로부터 한가로움으로 정조가 변하고 있다. (劉)

11. 임고정으로 거처를 옮겨
遷居臨皐亭

내가 천지 사이에 살고 있는 것은
한 마리 개미가 큰 맷돌에 붙어 있는 것과 같다.
애써 오른쪽으로 가려 해도
바람 이는 바퀴[風輪]가 왼쪽으로 돎을 어쩌지 못한다.

비록 인의(仁義)의 길 간다 해도
추위와 굶주림을 떠나 살려고 발버둥침을 면하지 못한다.
칼끝으로 쌀 일고 위태로이 취사하듯 극히 곤궁하며
바늘방석에 앉은 듯이 불안한 처지이다.

어찌 아름다운 경치 없을까마는
눈을 빌렸나 싶으면 비바람 치고 만다.
전원으로 돌아감에 늙기를 기다리지 않고
용단을 내리는 이 몇이나 될까?

다행히 나는 찌꺼기같이 버려졌는데도
지친 말이 안장의 짐을 푼 것 같다.

온 식구가 강가의 역사(驛舍)를 차지하니
절경(絶境)을 하늘이 열어 준 것 같다.

굶주림, 가난함을 서로 저울질해 보니
슬퍼해야 할지 축하해야 할지 알 수 없다.
담담히 근심도 즐거움도 없고 보니
괴로운 말 이루어지지 않는다.

我生天地間, 一蟻寄大磨.
區區欲右行, 不救風輪左.
雖云走仁義, 未免違寒餓.
劍米有危炊, 針氈無隱坐.
豈無佳山水, 借眼風雨過.
歸田不待老, 勇決凡幾箇.
幸玆廢棄餘, 疲馬解鞍馱.
全家占江驛, 絶境天爲破.
飢貧相乘除, 未見可弔賀.
澹然無憂樂, 苦語不成些.

– 권20

◎ 주 석 ◎

• 區區(구구) : 부지런히.

- **風輪**(풍륜) : 『능엄경(楞嚴經)』 - "그러므로 풍륜(風輪)이 있어 세계를 주재한다(故有風輪, 執持世界)." 길천행차랑(吉川幸次郞)은 '풍륜(風輪)'을 "인생운명(人生運命)의 주재(主宰)"라고 보았다.
- **區區欲右行, 不救風輪左**(구구욕우행, 불구풍륜좌) : 애써 오른쪽으로 가려 해도, 바람 이는 바퀴[風輪]가 왼쪽으로 돎을 어쩌지 못한다. 거대한 시류의 흐름에 어찌할 수 없이 흘러가는 자신에 대한 자각을 나타낸다.
- **劍米有危炊, 針氈無隱坐**(검미유위취, 침전무은좌) : 칼끝으로 쌀 일고 위태로이 취사하듯 극히 곤궁하며, 바늘방석에 앉은 듯이 불안한 처지이다. 관리의 길이 험난한 것을 비유한다. 『세설신어(世說新語)』 「배조(排調)」 - 환현(桓玄)은 은중감(殷仲堪)과 희롱삼아 위어(危語 : 위험한 상황을 묘사한 연구聯句)를 지었다. "환현이 말하길, '창끝으로 쌀을 씻고 칼끝으로 불을 때는 것'이라 했고, 은중감은 말하길, '백 살 노인이 고목 가지에 올라가는 것'이라고 했다.(桓曰, '矛頭淅米劍頭炊.' 殷曰, '百歲老翁攀枯枝')"
- **幸玆廢棄餘**(행자폐기여) : 다행히 나는 찌꺼기같이 버려졌는데도. 역경을 다행으로 인식하고 있다. 이는 장자(莊子)의 제물사상(齊物思想)에 근거한다. 제물사상은 모든 옳고 그름[是非], 크고 작음[大小], 가한 것과 불가한 것[可不可], 행복과 불행[幸不幸] 등을 절대적 차별로 보지 않고 상대적 차별로 인식하는 것이다.
- **絶境**(절경) : 인적 없는 땅. 세속을 떠난 경지. 세상과 격절된 지경.
- **些**(사) : 조사.

◎ 해 제 ◎

이는 황주 폄적지(貶謫地)에서 쓴 시이다. 45세(원풍 3년, 1080년) 4월, 동파가 정혜원으로부터 임고정으로 옮겨 와 온 식구가 그곳에 살게 되었다. 여기서 동파는 자신의 인생을 주체의지에 따라 개척, 매진하려고 의도했지만 거대한 시세(時勢)의 흐름에 어찌할 수 없이 흘러 살아온 자신의 과거를 절실히 회상하고 있다. 그리하여 결국에는 평정을 이룬 현재의 심경을 평담한 시풍으로 승화시키고 있다.

여기서 개미(蟻)는 「虫+義」로 이루어졌는데, 바로 의(義)를 추구하는 존재로서의 인간을 의미한다고 해석할 수도 있겠다. 또한 풍륜(風輪)은 바람 이는 바퀴라는 뜻으로 거센 세파(世波)를 상징한다고 보여진다.

과거에 동파는 자신이 적극 지향했던 유가의 인의(仁義)의 길을 다 실행하느라 노력했다. 그러나 결국 이루지 못하고 바늘방석 위에 앉은 불안한 심경이었다. 그래도 현재는 비록 타의에 의해 황주로 폄적된 신세이지만 지친 말이 안장을 푼 듯한 평온한 심경이다. 역경을 다행으로 인식하는 발상의 전환을 통해 현실세계와의 대립상태를 초극하고 있다.

근심도 괴로움도 없다는 것은 폄적기의 정신적·육체적·경제적 괴로움을 이미 정신적으로 극복한 심경의 표현이다. 이것은 고통을 통해 인생을 심도 있게 인식한 후 현재의 상황에 담담히 대처하는 동파의 초연함과 달관을 드러낸 것이다. 요컨대 발상의 전환에 의해 철리를 깨달아 심적 평형을 이루었다고 할 수 있다.

12. 자유와 함께 한계(寒溪) 서산을 유람하며
與子由同游寒溪西山

한가한 사람은 출입하는데 한계가 없어
아침에 호수 북쪽 유람하고 저녁에 회서[황주]로 가네.
균주에서 술 담당하는 벼슬을 한 그대는 아직 임지에 도착하지 않고
두 다리 걷고 진흙탕 속을 지나네.

그대와 만나고 헤어짐은 운우(雲雨)와 같으니
이 날 손잡고 다님을 함께 아끼네.
흔들흔들 배타고 번구에 이르니
화살처럼 빨리 달려 오리를 앞질러 가네.

층층겹겹 초목에 서쪽 고개 어두컴컴하고
콸콸 물 부수어져 하얀 냇물의 소리 한계(寒溪) 시내 울리네.
텅 빈 산속 옛 절에는 또 무엇이 있는가.
돌아가는 길은 만이랑 푸른 물결.

나는 지금 기러기 같은 떠돌이

강남에도 강북에도 정착할 곳 없네.
은자가 쓰는 모자 쓰고 (중심가 피해) 시내 중심을 지나가려 하지 않고
지름길로 가려고 새 소롯길 내네.

문득 이별한 뒤가 걱정되어 차마 이곳에 오지 못한다.
그대의 행적 보면 공연히 슬픔만 북받쳐 오른다.
우리가 떠돌아다니는 것이 어찌 하늘의 뜻이겠는가
스스로 어리석기 때문이지 남이 나를 물리친 것 아니네.

가다가 산수를 만나면 문득 탄식한다
그대 이제 가면 소금과 술 감독하느라 바쁠 것이라.
언제나 신선 이팔백을 한 번 만나
서로 백발을 슬퍼하며 불로장생약을 나눠 가질까.

散人出入無町畦, 朝游湖北暮淮西.
高安酒官雖未上, 兩脚垂欲穿塵泥.
與君聚散若雲雨, 共惜此日相提攜.
千搖萬兀到樊口, 一箭放溜先鳧鷖.
層層草木暗西嶺, 瀏瀏霜雪鳴寒溪.
空山古寺亦何有, 歸路萬頃青玻璃.

我今漂泊等鴻雁，　江南江北無常棲.
幅巾不擬過城市，　欲踏徑路開新蹊.
却憂別後不忍到，　見子行迹空餘悽.
吾儕流落豈天意，　自坐迂闊非人擠.
行逢山水輒羞歎，　此去未免勤鹽虀.
何當一遇李八百，　相哀白髮分刀圭.

\- 권20

◎ 주 석 ◎

- 散人(산인) : 한가한 사람.
- 町畦(정휴) : 밭두둑. 한계. 경계.
- 淮西(회서) : 황주(黃州)는 회남서도(淮南西道)에 있다. 그러므로 회서(淮西)라고 했다.
- 高安酒官雖未上(고안주관수미상) : 균주에서 술 담당하는 벼슬을 한 그대는 아직 임지에 도착하지 않고. 동파가 시로써 조정에 죄를 짓자, 아우 소철(蘇轍)은 이에 연좌되어 감균주염주세(監筠州鹽酒稅)로 관직이 깎였다. 高安(고안) : 균주(筠州)의 옛 이름. 未上(미상) : 아직 부임하지 않다.
- 惜(석) : 아끼다. 소중히 여기다.
- 西嶺(서령) : 황주의 맞은편에 있다.
- 寒溪(한계) : 황주의 맞은편에 있다.
- 幅巾(복건) : 한 폭의 천으로 만든 두건의 하나. 은자가 썼다.
- 李八百(이팔백) : 동파 자주(自注) - "이팔백(李八百)의 집은 균주(筠州)에 있는데, 예로부터 전해오길, 지팡이를 짚고 하루에 8백 리를 갈 수 있다고 한다." 이팔백은 이름이 탈(脫)이며,

촉인(蜀人)인데, 당시 사람들은 그의 나이가 8백 세라고 하여, 호로 삼았다.

• 刀圭(도규) : 불로장생약.

◎ 해 제 ◎

아우 소철과 함께 한계 서산을 유람하며 지은 시이다. 동파는 떠돌이 인생이라 정착할 곳이 없다. 그러나 작자는 '떠돌아다니는 것이 하늘의 뜻이 아니라, 내가 어리석기 때문이다'라고 했다. 더불어 불로장생을 희구하고 있다.

13. 정월 20일, 기정으로 가는데, 마을 사람 반 · 고 · 곽씨 3인이 나를 여왕성 동쪽의 선장원까지 배웅하다

正月二十日，往岐亭，郡人潘古郭三人送余於女王城東禪莊院

꽃샘추위가 열흘이나 지속되어 문 밖을 나서지 않았더니
강가의 버들이 이미 온 마을에서 살랑거림을 몰랐었네.
골짜기 얼음장 밑으로 콸콸 흐르는 냇물소리 조금 들리고
봄 쥐불 태운 흔적 위에 파릇파릇 새싹 돋아났다.

몇 이랑 거친 동산에 내가 머물러 살고
반 병 막걸리로 그대들의 훈훈한 얼굴 대했지.
작년 이날 관산 넘던 길에는
이슬비 속에 젖는 매화꽃에 넋이 나갔지.

十日春寒不出門，不知江柳已搖村．
稍聞決決流冰谷，盡放青青沒燒痕．
數畝荒園留我住，半瓶濁酒待君溫．

去年今日關山路，　細雨梅花正斷魂.

\- 권20

◎ 주 석 ◎

- **決決**(결결) : 콸콸. 물이 흐르는 모양. 의성어.
- **盡放青青沒燒痕**(진방청청몰소흔) : 봄 쥐불 태운 흔적 위에 파릇파릇 새싹 돋아났다. 푸른 풀은 모두 싹이 터서 검게 쥐불 태운 맨땅을 덮었다.
- **去年今日關山路, 細雨梅花正斷魂**(거년금일관산로, 세우매화정단혼) : 작년 이날 관산 넘던 길에는, 이슬비 속에 젖는 매화꽃에 넋이 나갔지. 「매화이수(梅花二首)」에서 묘사한 바, 작년 황주로 오던 도중의 정경으로써, 오늘 여행길에서 느낀 바를 묘사하고 있다. 斷魂(단혼) : 혼이 끊어지다. 넋이 빠졌다. 넋이 나가다.

◎ 해 제 ◎

46세(원풍 4년, 1081년) 봄, 동파가 진조(陳慥)를 방문하러 기정(岐亭)에 가는데, 황주에서 새로 사귄 친구 반·고·곽씨 세 사람이 배웅하여 성을 나와 여왕성 동쪽의 선장원까지 왔다. 그때 쓴 시이다. 이날은 마침 황주로 유배오던 길에 춘풍령을 지난 지 1주년이 되는 날이다. 봄기운이 어느덧 퍼져 꽃샘추위도 지나 강가의 버들이 살랑거리고 봄 시냇물이 얼음을 녹이고, 파릇파릇 봄싹이 돋아나 완연한 봄이 되었다.

14. 동파 8수

東坡 八首, 幷敍

내가 황주(黃州)에 온 지 2년이 되었는데 날로 생활이 궁핍해졌다. 오랜 친구인 마정경(馬正卿 : 馬夢得)이 내가 먹을 것이 부족한 것을 불쌍히 여겨 나를 위해 군(郡)에다 옛 병영지 수십 무(畝)를 요청하여 그 안에서 내가 농사지을 수 있도록 해주었다. 그 땅은 이미 오랫동안 황폐된 채로 있어서 가시덤불과 기왓조각, 돌덩이들이 덮여 있었다. 또 올해는 크게 가물어 땅을 개간하기가 힘들어 나의 근력이 쇠진하였다. 괭이를 놓고 탄식하다가 이 시를 짓고서 노고를 스스로 가련히 여기고, 내년의 수확으로써 이 노고를 잊어버리길 바란다.

余至黃州二年, 日以困匱. 故人馬正卿哀余乏食, 爲於郡中請故營地數十畝, 使得窮耕其中. 地旣久荒爲茨棘瓦礫之場, 而歲又大旱, 墾闢之勞, 筋力殆盡. 釋耒而歎, 乃作是詩, 自愍其勤, 庶幾來歲之入以忘其勞焉.

◎ 주 석 ◎

- 東坡(동파) : 동쪽 언덕. 황주성의 동쪽에 있다.
- 馬正卿(마정경) : 자(字)는 몽득(夢得). 작자는 일찍이 그를 "마염(馬髥 : 마털보)"이라고 칭했다. 기(杞 : 지금의 하남성 기현 杞縣) 사람. 평소 미원장(米元章 : 米芾)과 사이가 좋았다. 동파가 황주에 폄적되었을 때, 마정경은 그를 따라서 황주에 와, 동파를 위해 옛 병영지 수십 무(畝)를 빌려 동파로 하여금 그곳에서 몸소 농사짓게 했다. 『동파지림(東坡志林)』「마몽득은 나와 동갑(馬夢得同歲)」 - "마몽득은 나와 같은 해 같은 달에 태어났는데, 그는 나보다 8일 늦게 태어났다. 이 해에 태어난 사람치고 부귀한 사람이 없는데, (그 가운데서도) 나와 몽득은 가장 빈궁하다. 우리 두 사람을 놓고 보면, 마땅히 몽득을 으뜸으로 삼아야 한다(馬夢得與僕同歲月生, 少僕八日. 是歲生者, 無富貴人, 而僕與夢得爲窮之冠. 卽吾二人而觀之, 當推夢得爲首)."

◎ 해 제 ◎

위의 서문에서 동파는 농경을 시작한 시기, 원인, 경과 및 농경과정의 고통, 그리고 소박한 희망 등을 간략하게 서술하고 있다. 46세(원풍 4년, 1081년), 황주(黃州)에서 지었다.

14-1. 其一

황폐한 보루는 돌아보는 사람 없고
무너진 벽에는 쑥 덤불만 가득 찼네.
누가 이런 곳에 근력을 허비하려 할 건가

한 해가 다 가도 힘들인 가치 없네.

홀로 외로운 나그네 있어
하늘이 내려준 곤궁한 운명에서 도망할 곳 없네.
처음에 와서 기왓조각 주웠는데
올해는 가물어 흙이 기름지지 못하네.

울퉁불퉁한 땅과 가시덤불 속에서
한 치의 곡식이라도 수확할 수 있었으면.
아! 한숨 쉬며 따비를 던진다.
언제나 내 창고에 곡식이 높게 쌓일까.

廢壘無人顧, 頹垣滿蓬蒿.
誰能捐筋力, 歲晩不償勞.
獨有孤旅人, 天窮無所逃.
端來拾瓦礫, 歲旱土不膏.
崎嶇草棘中, 欲刮一寸毛.
喟然釋耒嘆, 我廩何時高.

— 권21

◎ 주 석 ◎

- 天窮(천궁) : 하늘이 준 곤궁함. 하늘이 곤궁한 운명을 내리다.
- 端來(단래) : 처음 와서. 시래(始來).

• 瓦礫(와력) : 깨진 기왓조각 또는 기와와 자갈.
• 一寸毛(일촌모) : 한 치의 곡식.
• 喟然(위연) : 아. 한숨을 쉬며 서글프게 탄식하는 모양.

◎ 해 제 ◎

작자는 자신이 농사짓는 땅을 "동파(東坡)"라고 명명했다. 사람들은 백거이(白居易)가 충주자사(忠州刺史)로 있을 때의 "동파(東坡)"에서 뜻을 취했다고 여겼다. 백거이의 시에 「동파종화(東坡種花)」, 「보상동파(步上東坡)」가 있는데, 적거(謫居)의 심정을 표현한 것은 두 사람이 비슷하다. 동파는 자신에 대해 "출사와 은퇴가 대략 낙천(백거이)과 비슷하다(出處依稀似樂天)"고 했다. 동파(東坡)로 명명한 것은 바로 그가 백거이에 대한 사모의 정을 표현한 것이다. 작자가 동파로 스스로 호를 지은 것은 이때부터이며, 그의 시풍도 이에 이르러 점차 바뀌었다.
이 「동파 8수(東坡 八首)」는 의경(意境), 기상(氣象)이 도연명과 백낙천의 사이에 있다. 소철(蘇轍)은 동파가 "황주에 적거하면서, 문을 닫고 깊이 거하며 한묵(翰墨)을 달리니, 그 문장이 일변하여, 마치 냇물이 바야흐로 이르는 것 같다(謫居黃州, 杜門深居, 馳騁翰墨, 其文一變, 如川之方至.)"고 했다. (吳夏蕭)

"홀로 외로운 나그네 있어, 하늘이 내려준 곤궁한 운명에서 도망할 곳 없네"에서는 유배시절의 절박한 심경을 토로하고 있다.

14-2. 其二

묵은 밭 비록 거칠지만
높은 곳 낮은 곳이 각각 적합함이 있네.
아래의 습한 곳에는 메벼와 찰벼를 심고
동쪽 언덕에는 대추와 밤나무를 모종하네.

강남에 내 고향 촉 출신 선비 있어
뽕나무와 과일을 이미 구할 수 있도록 허락했네.
좋은 대나무 심기가 어렵지는 않으나
다만 채찍으로 팔릴까 두렵네.

이제 좋은 장소를 점쳐서
내 집 지어 편히 살기로 계획했네.
일꾼은 마른 풀을 불사르고서는
달려와 그늘진 곳에 샘물이 솟아나온다고 보고하네.

(농사지어) 한 번 배부름은 감히 기약할 수 없지만
표주박으로 떠 마실 물은 이미 걱정 없게 되었네.

荒田雖浪莽, 高庳各有適.
下隰種秔稌, 東原蒔棗栗.
江南有蜀士, 桑果已許乞.

好竹不難栽，　但恐鞭橫逸.
仍須卜佳處，　規以安我室.
家僮燒枯草，　走報暗井出.
一飽未敢期，　瓢飲已可必.

\- 권21

◎ 주 석 ◎

- 浪莽(낭망) : 멋대로 우거지다. 浪(랑) : 함부로, 마구 랑. 莽(망) : 우거질, 거칠 망.
- 秔稌(갱도) : 메벼와 찰벼.
- 蒔(시) : 모종내다.
- 蜀士(촉사) : 촉의 선비. 여기서는 왕문보(王文甫)를 가리킨다. 그는 촉(蜀) 지방 가주(嘉州) 건위(犍爲) 사람으로, 황주에서 장강 맞은편에 위치한 무창(武昌)에 살았는데, 당시 동파와 교류가 있었다.
- 許乞(허걸) : 빌어주길 허락하다.
- 鞭橫逸(편횡일) : 채찍으로 팔리다.
- 家僮(가동) : 집 일꾼. 하인.
- 瓢飮(표음) : 표주박으로 떠 마시다.

◎ 해 제 ◎

묵은 밭 아래의 습한 곳에는 벼를 심고, 동쪽 언덕에는 대추나무와 밤나무를 모종낸다. 장소를 점쳐 집을 짓기로 계획하고 있다. 아울러 샘물이 솟아나오는 것을 발견한 기쁨을 토로하고 있다.

14-3. 其三

예로부터 이곳엔 작은 샘 있었으니
멀리 고개 너머 뒤쪽으로부터 왔다.
성벽을 뚫고 마을을 지나오지만
흐름길이 나빠 쑥 덤불만 무성하네.

가씨의 방죽으로 흘러가니
그곳은 10무(十畝) 되는 못으로 물고기와 새우가 모이는 곳.
해가 가무니 샘물 또한 말라
마른 마름풀이 깨진 돌덩이에 말라붙었네.

어젯밤 남산에 구름 끼었더니
어느덧 비가 한 보습도 더 내려
줄줄 옛 도랑 찾아 흐르니
내가 무성한 잡초를 치운 것을 알기나 하는 듯.

진흙 속의 미나리 묵은 뿌리 아직 있어
불쌍히도 한 치만이 남아 있네.
눈 같은 흰 싹이 언제나 움틀 건가
봄비둘기 울 무렵이면 장차 (비둘기고기를) 회쳐 먹을 수 있으리.

自昔有微泉, 來從遠嶺背.
穿城過聚落, 流惡壯蓬艾.
去爲柯氏陂, 十畝魚蝦會.
歲旱泉亦竭, 枯萍黏破塊.
昨夜南山雲, 雨到一犁外.
泫然尋故瀆, 知我理荒薈.
泥芹有宿根, 一寸嗟獨在.
雪芽何時動, 春鳩行可膾.

— 권21

◎ 주 석 ◎

- **柯氏陂**(가씨피) : 가씨의 못. 황주 적벽(赤壁) 동쪽에 있다. 陂(피) : 못. 방죽. 비탈.
- **黏**(점) : 달라붙다. 끈끈하다.
- **一犁外**(일리외) : 한 보습 이상. 犁(리) : 보습. 일리는 보습을 땅에 박았을 때의 깊이로, 농사짓는 데 비가 온 양을 헤아릴 때 쓰는 용어이다. 외(外)는 이상이라는 뜻이다. 곧 비가 한 보습 이상 내렸다는 의미이다.
- **泫然**(현연) : 줄줄. 눈물이 줄줄 흐르는 모양.
- **春鳩行可膾**(춘구행가회) : 봄비둘기 울 무렵이면 장차 (비둘기고기를) 회쳐 먹을 수 있으리. 동파 자주(自注) – "촉 지방 사람은 미나리 싹 회를 귀하게 여기는데, 비둘기고기와 섞어 만들었다(蜀人貴芹芽膾, 雜鳩肉爲之)." 行(행) : 장차. 膾(회) : 회치다.

◎ **해 제** ◎

가뭄으로 샘물이 말랐는데, 어느덧 비가 내린다. 봄비둘기 울 무렵, 비둘기고기를 회쳐 미나리와 먹을 기대감으로 차있다.

14-4. 其四

청명절 전에 볍씨를 뿌리고
앞으로 즐거운 일들 헤아려 본다.
실비 내리어 봄 연못이 어둑어둑
볏모가 물에 침처럼 뾰족이 나오니 풍년이 들겠구나.

초여름이 되어 모내기하니
점점 바람에 흔들리는 잎사귀 소리 흥겹다.
달이 밝아 볏모에 오른 이슬을 보니
하나하나 구슬이 주렁주렁 달린 듯.

가을이 오자 서리 맞은 이삭은 무거워져
엎어질 듯 서로 버티고 있다.
다만 들리는 것은 이랑 사이에서
메뚜기가 비바람처럼 후드득하는 것뿐.

새로 방아 찧어 시루에 찌니
옥 같은 쌀알이 광주리를 비추겠지.

나는 오래도록 관청 쌀만 먹었는데
벌겋게 뜬 것이 진흙과 같았었지.

앞으로 이 참맛을 알게 될 것이니
맛있는 입맛 이미 기약했구나.

種稻清明前， 樂事我能數.
毛空暗春澤， 針水聞好語.
分秧及初夏， 漸喜風葉擧.
月明看露上， 一一珠垂縷.
秋來霜穗重， 顚倒相撐拄.
但聞畦隴間， 蚱蜢如風雨.
新舂便入甑， 玉粒照筐筥.
我久食官倉， 紅腐等泥土.
行當知此味， 口腹吾已許.

— 권21

◎ 주 석 ◎

• 毛空(모공) : 가는 비가 오는 공중에는.
• 針水聞好語(침수문호어) : 볏모가 물에 침같이 뾰족하게 나오니 풍년이 들겠구나. 동파 자주(自注) – "촉 지방 사람은 이슬비를 우모(雨毛)라고 한다. 벼가 처음 싹이 틀 때, 농부들은 서로 벼의 침이 나왔다고 말한다(蜀人以細雨爲雨毛. 稻初生時, 農夫相

語稻針出矣).”

- 風葉(풍엽) : 바람맞은 잎사귀.
- 舂(용) : 찧다. 절구질하다.
- 玉粒(옥립) : 옥 같은 쌀알.
- 行(행) : 장차. 앞으로.

◎ 해 제 ◎

벼를 심을 때 품은 즐거운 장래에 대한 희망, 볏모가 물에 돋을 때의 흥겨움, 모내기할 때의 뿌듯함, 벼가 점차 주렁주렁 달릴 무렵의 벼이삭, 가을에 무거워 고개 숙인 벼이삭, 그리고 방아 찧어 먹을 때의 비할 수 없는 마음 등 농경의 전 과정이 한 수의 시 안에 잘 나타나 있다. 전체적으로 작자의 농사짓는 흥겨움이 배어나고 있다.

14-5. 其五

훌륭한 농부는 땅의 힘을 아낀다니
이 땅 10년 묵은 것 다행이라.
뽕은 아직 자라지 않았지만
보리 수확은 바랄 수 있네.

씨를 뿌린 지 한 달도 되지 않았는데
흙 위로 싹이 나 새파랗게 변했다.

농부가 내게 알려주는 말,
"싹을 너무 더부룩하게 하지 마세요.
수확이 많아 밥과 떡 실컷 먹고 싶으면
소와 양을 풀어놓아 싹을 밟아야 해요."

몇 번이고 그 충고에 감사하니,
배불리 먹게 되면 잊지 않겠소.

良農惜地力, 幸此十年荒.
桑柘未及成, 一麥庶可望.
投種未逾月, 覆塊已蒼蒼.
農夫告我言, 勿使苗葉昌.
君欲富餅餌. 要須縱牛羊.
再拜謝苦言, 得飽不敢忘.

\- 권21

◎ 주 석 ◎

- 未及成(미급성) : 미처 크지 못하다.
- 覆塊已蒼蒼(복괴이창창) : 덮은 흙에 싹이 나서 어느새 새파랗게 변했다.
- 苦言(고언) : 수고의 말씀. 충고의 말씀.

◎ 해 제 ◎

작자는 이 땅이 10년이나 묵은 황무지라 농사가 잘될 것이란 희망을 견지하고 있다. '보리 싹이 터서 새파랗게 땅을 덮으면 소나 양을 놓아 밟아 주어야 수확이 풍성하게 된다'는 농사에 대한 경륜을 가진 농부의 조언을 듣고, 그 은혜를 잊지 말아야겠다는 동파의 인간미 넘치는 다짐과 농사일을 배우려는 진지한 자세를 표현하고 있다.

14-6. 其六

대추를 심어서는 장대로 따는 수확을 기대하고
소나무 심어서는 재목으로 깎기를 바란다.
그것이 이루어지는 것은 10년 후이니
나의 계책 또한 이미 정성스러워라.

10년이 뭐가 대단하랴
천년도 바람이나 우박처럼 빨리 지나가는 법.
오래 전에 들은 적 있지, 이형이 귤나무 천 그루 심어 노비로 여겼던 일을.
이 계책 아마도 배울 만하다.

나는 같이 지내던 친구가 있으니
관리로서 잠악에 있다네.
그가 내게 세 치 크기의 감귤나무를 주었는데

좌중에 탁월하게 번쩍번쩍 빛났다.

묘목 백 그루를 얻을 수 있으니
얼음이 녹는 봄에 심어야 한다.
상상건대 대울타리 사이에
퍼렇고 누런 귤이 집 모퉁이에 주렁주렁 달릴 것이다.

種棗期可剝, 種松期可斲.
事在十年外, 吾計亦已慤.
十年何足道, 千載如風雹.
舊聞李衡奴, 此策疑可學.
我有同舍郎, 官居在瀟岳.
遺我三寸甘, 照座光卓犖.
百栽倘可致, 當及春冰渥.
想見竹籬間, 青黃垂屋角.

- 권21

◎ 주 석 ◎

- **期可斲**(기가착) : 재목으로 깎기를 바란다.
- **慤**(각) : 정성스럽다. 완전하다.
- **李衡奴**(이형노) : 이형의 노비. 이형은 자(字)가 숙평(叔平), 삼국시대 사람. 오(吳)나라에 들어가 단양태수(丹陽太守)가 되었

다. 일찍이 무릉(武陵)의 주(洲)에다 단귤(丹橘) 천 그루를 심었다. 죽음에 임해 아들에게, "내 시골에 천 그루의 목노(木奴 : 나무 노비, 귤나무)가 있으니, 충분히 쓸 수 있다."고 했다. 奴(노) : 노비.

- **疑**(의) : 아마도.
- **灊岳**(잠악) : 잠산(灊山). 곽산(霍山), 천주산(天柱山)이라고도 하며, 옛날에 남악(南嶽)으로 칭해졌다. 안휘성 곽산현(霍山縣) 서북쪽에 있다. 천주산은 2009년 여름, 역자가 답사해 보았는데 바위가 아름다운 산이다. 당시 이공택(李公擇)이 제점회남서로형옥(提點淮南西路刑獄)으로 있었다.
- **青黃垂屋角**(청황수옥각) : 퍼렇고 누런 귤이 집 모퉁이에 주렁주렁 달릴 것이다.

◎ 해 제 ◎

대추와 소나무를 심어서 10년 후 수확하고 재목을 얻을 계획을 세운다. 또 친구가 감귤나무 묘목을 주었다. 그것을 봄에 심으면서 퍼렇고 누런 귤이 주렁주렁 달릴 것을 기대하고 있다.

14-8. 其八

마몽득은 본래 빈궁한 선비
나를 스무 해나 따랐네.
밤낮으로 내가 잘되길 바라서
산을 살 돈을 구해다 주었네.

나는 지금 도리어 그에게 누를 끼쳐
밭을 내게 거둬주어 밭을 갈게 했네.
거북이 등에서 털 긁으니
어느 때나 담요를 이루겠는가.

가련하도다, 마씨의 어리석음이여
지금까지 나를 어질다고 자랑하는구나.
많은 사람이 비웃어도 끝내 후회 않으니
하나를 베풀면 천 배의 보답이 되어 돌아가리라.

馬生本窮士, 從我二十年.
日夜望我貴, 求分買山錢.
我今反累君, 借耕輟茲田.
刮毛龜背上, 何時得成氈.
可憐馬生癡, 至今夸我賢.
衆笑終不悔, 施一當獲千.

― 권21

◎ 주 석 ◎

- 馬生(마생) : 마몽득(馬夢得).
- 求分買山錢(구분매산전) : 산을 살 돈을 나눠 주길 구했다.
- 刮毛龜背上(괄모구배상) : 거북이 등에서 털을 긁다. '거북이 등에서 털을 깎듯이 안 될 일을 바란다'는 의미이다.

- 何時得成氈(하시득성전) : 어느 때나 담요를 이루겠는가. '어느 때나 이 땅에서 곡식이 나겠는가'라는 의미이다. 氈(전) : 담요.
- 施一當獲千(시일당획천) : 하나를 베풀면 천 배로 얻을 것이다. 이후 보답이 많을 것이다.

◎ 해 제 ◎

빈궁한 선비 마몽득이 산을 살 돈을 구해 주었다. 언제나 이 땅에서 곡식이 익겠는가. 그에게 천 배의 보답이 돌아가기를 희구하고 있다.

15. 승전보를 듣고

聞捷

원풍 4년 12월 22일, 강남에서 왕문보를 배알하였다. 자리에서 진계상의 편지 보고를 받았다. "이 달 4일, 종악은 군대를 거느리고 깊이 쳐들어가 서하 군사 6만여 명을 죽이고 말 5천 필을 노획했다." 모두들 즐거워 노래하고는 각각 큰 술잔을 들어 마셨다.

元豐四年十二月二十二日, 謁王文父於江南. 坐上, 得陳季常書報, 是月四日. 种諤領兵深入, 破殺西夏六萬餘人, 獲馬五千匹. 衆喜忭唱樂, 各飲一巨觥.

듣건대 관군이 걸은(乞閭)을 함락시켰는데
장군의 깃발과 북이 귀신같이 빨랐다고 한다.
그러므로 알겠도다, 이제 무정하(無定河) 가의 버드나무가
중원과 함께 눈처럼 하얀 버들개지 핀 봄을 맞을 것이다.

聞說官軍取乞誾, 將軍旂鼓捷如神.
故知無定河邊柳, 得共中原雪絮春.

- 권21

◎ 주 석 ◎

- 王文父(왕문보) : "父"는 "보"라고 읽음. 이름은 제유(齊愈)이다. 아우는 제만(齊萬)이며, 자는 자변(子辯)이다. 동파가 황주에 유배되어 있을 때, 왕제유 형제는 강남의 무창현에 살고 있었는데, 그들과 매우 친하였다.
- 陳季常(진계상) : 진조(陳慥). 호는 방산자(方山子), 촉(蜀) 미주(眉州) 사람. 그의 부친 진공필(陳公弼)이 봉상지부(鳳翔知府)로 있을 때, 동파도 그곳에서 첨서판관(簽書判官)으로 있으면서 진계상과 서로 알고 지냈다. 후에 진공필은 낙양(洛陽)으로 이사하고, 동파는 황주로 폄적되었는데, 진계상은 자주 동파와 노닐었다.
- 忭(변) : 기뻐하다. 어떤 판본에는 '抃(변, 손뼉 치다)'.
- 觥(굉) : 뿔잔.
- 乞誾(걸은) : 은천(銀川). 지금의 섬서성에 속한다.
- 將軍(장군) : 종악(种諤)을 가리킨다.
- 得共中原雪絮春(득공중원설서춘) : 중원과 함께 눈처럼 하얀 버들개지가 봄빛을 같이하리[피었을 것이다]. 중국의 봄이 퍼져 서하 땅으로 들어갈 것이다.

◎ 해 제 ◎

이때 서하(西夏)의 주력 군대는 상실되지 않았다. 원풍 5년의 대(對)서하 전쟁 때, 송나라 군대는 크게 실패하였다. 이후 송은 서

하에 대해 중대한 군사행동을 다시 채택할 힘이 없었다. (孔劉)

46세(원풍元豊 4년, 1081년) 때 진계상(陳季常)의 편지 보고를 통해 대(對)서하 전쟁에서의 전승 소식을 듣고 지은 시이다. 3, 4구에서 무정하(無定河) 같은 변경지대에도 중국의 봄이 퍼져 갈 것이라 하여 북송(北宋)의 영구적인 승리에 대한 바람을 드러내고 있다.

다음의 「문도서첩보(聞洮西捷報)」 시와 함께 동파가 황주 폄적시절에 서하(西夏)와의 전투에서 북송(北宋)의 승전보를 듣고 애국충정이 발로되어 지은 것들이다. 당시 서하는 북송을 위협하는 강대한 세력으로 성장하였다.

16. 도서(洮西)에서의 승전보를 듣고
聞洮西捷報

한나라 장군이 1장(丈) 크기의 부처를 얻어왔는지라
조서로 천지(天池)의 8척(尺) 용마를 하사하였네.
선전포고를 알리는 격문(檄文)이 아침에 옥문관(玉門關)으로 달려갔는데
승전을 알리는 봉화는 밤에 감천궁(甘泉宮)에 도달했네.

방금 상군(上郡)에 성 쌓기 지휘하는 소식을 들은 것 같더니만
이미 담소하는 사이에 서융(西戎)을 정벌했다고 하네.
쫓겨난 신하라 용안에 기쁨 넘친 걸 보지 못하고
다만 초목에 봄 자태가 돌아왔음에 놀라네.

漢家將軍一丈佛, 詔賜天池八尺龍.
露布朝馳玉關塞, 捷烽夜到甘泉宮.
似聞指揮築上郡, 已覺談笑無西戎.
放臣不見天顏喜, 但驚草木回春容.

– 권21

◎ 주 석 ◎

- 捷報(첩보) : 승전보. 승전보고. 捷(첩) : 이기다.
- 露布(노포) : 선전포고. 격서. 격문.
- 玉關塞(옥관새) : 옥문관. 옥문관 변새.
- 談笑無西戎(담소무서융) : 담소하는 사이에 서융을 없애다.
- 草木回春容(초목회춘용) : (중국의) 초목에 봄 자태가 돌아오다.

◎ 해 제 ◎

마지막 2구에서 '다만 초목에 봄 자태가 돌아왔다'는 것은 전승으로 인한 변방의 해방에 기쁨을 표현한 것이다. 또 현재 자신의 위상이 쫓겨난 신하인지라 승전보를 듣고 황제의 용안에 기쁨이 넘쳐 있을 것을 보지 못하는 안타까운 심경을 나타내고 있다.

17. 조카 안절이 멀리서 와 밤에 앉아 3수, 其二

姪安節遠來夜坐 三首, 其二

마음 늙고 얼굴 변해 험상궂게 된 지금
그대 만나 보니 옛 고향 말소리만 기억난다.
긴긴 밤 고향 생각하니 어디에 있을까?
늙어가는 나이에 멀리서 온 그대의 정 느껴진다.

두렵기는 묵묵히 앉은 채 어리석게 되는 것
물어보니 옛 친구 가운데 절반은 죽었다는 말에 놀랐다.
꿈 깨고 술기운 사라지고 산비[山雨]마저 걷혔는데
굶주린 쥐만 등잔대에 오르는 것을 웃으며 바라본다.

心衰面改瘦崢嶸, 相見惟應識舊聲.
永夜思家在何處, 殘年知汝遠來情.
畏人默坐成癡鈍, 問舊驚呼半死生.
夢斷酒醒山雨絶, 笑看飢鼠上燈檠.

- 권21

◎ 주 석 ◎

- 安節(안절) : 소동파의 사촌 형 소불의(蘇不疑)의 아들로 술을 잘 마셨다.
- 崢嶸(쟁영) : 험상궂다. 산봉우리가 삐죽하다.
- 半死生(반사생) : 절반은 죽고 절반은 살다.

◎ 해 제 ◎

조카 안절(安節)이 멀리서 와 고향 소식을 전하는 말에 느낌이 있어 지은 시이다.

18. 정월 20일, 반 · 곽 두 서생과 교외에 나가 봄구경하다가, 홀연히 작년 오늘에 함께 여왕성에 가 시를 지은 것이 생각나, 그 시에 화운하다

正月二十日, 與潘郭二生出郊尋春, 忽記去年是日同至女王城作詩, 乃和前韻

봄바람은 아직 황주성 동문으로 불어 들어오지 아니한 때
말을 타고 지난해 왔던 마을을 다시 찾았다.
사람은 가을 기러기처럼 오는 데 기별 있지만
지난 일들 봄날의 꿈과 같아 끝내 흔적 없이 사라진다.

강성(江城)의 석 잔 짙은 백주에
시골노인의 늙은 얼굴엔 따뜻한 웃음.
이미 해마다 이 모임 갖고자 언약했거늘
친구들 나를 부르는 초혼시를 지을 필요가 없으리.

東風未肯入東門, 走馬還尋去歲村.
人似秋鴻來有信, 事如春夢了無痕.

江城白酒三杯釅，　野老蒼顏一笑溫.
已約年年爲此會，　故人不用賦招魂.

― 권21

◎ 주 석 ◎

- **潘郭二生**(반곽이생) : 반(潘)은 반대림(潘大臨), 일설에는 반병(潘丙 : 반대림의 숙부). 술을 팔아 생계를 유지하였다. 곽(郭)은 곽구(郭遘), 약을 파는 것으로 업을 삼았다. 모두 황주 시절 동파의 친구이다.
- **女王城**(여왕성) : 황주 주소재지 동쪽 15리에 있는 영안성(永安城). 속칭 여왕성(女王城). 일설에는 초왕성(楚王城)의 와전이라고도 한다.
- **前韻**(전운) : 동파가 원풍 4년에 지은 「정월 20일, 기정으로 가는데, 마을 사람 반·고·곽씨 3인이 나를 여왕성 동쪽의 선장원까지 배웅하다(正月二十日, 往岐亭, 郡人潘古郭三人送余於女王城東禪莊院)」 시의 운(韻).
- **東風**(동풍) : 봄바람. 이 구에서 봄바람이 아직 성문에 들어오지 않았다는 것은, 성(城)에는 아직 봄기운이 들지 않아 추울 때라는 의미이다.
- **來有信**(내유신) : 올 때 꼭 온다. 信(신) : 기별. 신의.
- **了**(요) : 끝내. 전혀.
- **江城**(강성) : 강가의 성. 여기서는 황주(黃州)를 가리킨다.
- **蒼顏**(창안) : 늙어 여윈 얼굴. 검푸른 얼굴.
- **故人不用賦招魂**(고인불용부초혼) : 옛 친구들은 내가 황주의 유배지를 떠날 수 있도록 주선해 줄 필요가 없다는 의미이다. 송옥(宋玉), 「초혼(招魂)」 - “무양은 ‘이에 내려와 불러 말하길,

혼이여 돌아오라'고 하였다(巫陽'乃下招曰, 魂兮歸來')."

◎ 해 제 ◎

47세(원풍元豐 5년, 1082년) 정월 20일에 지었다. 1년 전인 원풍 4년 정월 20일, 동파가 기정(岐亭)으로 가는데, 반(潘)씨 · 곽(郭)씨 등의 친구들이 여왕성(女王城)까지 배웅하자, 동파는 칠언율시 한 수를 지었다. 한 해 지나 같은 날, 동파는 지난 해 갔던 곳인 교외로 봄나들이를 나섰다. 지난 일은 안개와 같아 감개를 누를 수 없었다. 동시에 작자는 또 만나는 처지에 따라 편안하게 여기는 마음을 가지고 슬프게 여기지 않고 달관의 어구를 쏟아내고 있다. 그 가운데, "사람은 가을 기러기처럼 오는 데 기별 있지만, 지난 일들 봄날의 꿈과 같아 끝내 흔적 없이 사라진다(人似秋鴻來有信, 事如春夢了無痕)"라는 연은 대구가 묘하여 인구에 회자되고 있다. (王王)

황주에서 유배살이 하고 있는 동파를 수도에 있는 친구들이 조정으로 불러들일 계획이 있었던 듯하나, 그는 이것을 사절하고 있다. 동파는 한 해 전에 왔던 곳을 다시 봄놀이 가서 지난 일을 생각하며 감개에 젖어 있다. 인생에서의 만남에 편안해 하는 자세가 이 시에서도 표현되고 있다. 유배살이의 서글프고 썰렁한 상념이 나타나 있지 않다.

19. 홍매 3수
紅梅 三首

19-1. 其一

근심 생길까 두려워 잠을 많이 청하여 홀로 늦게 피더니
얼음 띤 하얀 모습 드러냈건만 시류에 어울리지 않음을 두려워한다.
일부러 살짝 복숭아 살구의 발그스레한 빛을 띠었는데
아직도 외롭고 마른 서릿발 같은 자태 남아있다.

추위를 이기고 피는 마음은 봄 자태 따르려 하지 않고
옥처럼 맑은 살결에 까닭 없이 붉은 술기운을 띠었네.
노시인은 매화의 격조가 따로 있음을 모르고
새삼스레 초록 잎새와 파란 가지만 보았구나.

怕愁貪睡獨開遲, 自恐冰容不入時.
故作小紅桃杏色, 尚餘孤瘦雪霜姿.
寒心未肯隨春態, 酒暈無端上玉肌.
詩老不知梅格在, 更看綠葉與青枝. - 권21

◎ 주 석 ◎

- 不入時(불입시) : 시류에 들어가지 않다. 시류에 어울리지 않다.
- 故(고) : 일부러.
- 尙(상) : 그래도. 아직도.
- 寒心(한심) : (겨울의) 차가운 마음.
- 酒暈無端上玉肌(주훈무단상옥기) : 옥처럼 맑은 살결에 까닭 없이 붉은 술기운을 띠었네. 매화꽃이 붉은색임을 드러내, 시제(詩題)와 호응된다. 暈(훈) : 무리. 해나 달의 주위를 두른 둥근 테 모양의 빛, 바림. 玉肌(옥기) : 옥 같은 살. 하얀 살.
- 詩老(시로) : 노시인. 석연년(石延年), 자(字)는 만경(曼卿). 그는 「홍매(紅梅)」 시에서, "복숭아로 보려니, 초록색 잎 없고, 살구로 보려니 푸른 가지 있네(認桃無綠葉, 辨杏有靑枝)"라 했다. 동파는 「부과(付過)」에서 이 두 구에 대해, "지극히 누추하니, 대개 촌학(村學)의 말이다"라고 했다.
- 詩老不知梅格在, 更看綠葉與靑枝(시로부지매격재, 갱간록엽여청지) : 노시인은 매화의 격조가 따로 있음을 모르고, 새삼스레 초록 잎새와 파란 가지만 보았구나. 석만경은 매화의 고매한 품격을 알지 못하고, 단지 초록색 잎이 없다거나 푸른 가지가 있다는 것으로 매화를 분별하고 있다.

◎ 해 제 ◎

47세(원풍元豐 5년, 1082년)에 지었다. 이 시는 구상이 교묘하고 묘사가 정교하여 섬약한 단점이 없다. 관건은 작자가 "초록색 잎이 없다"거나 "푸른 가지 있네"라고 묘사한 것에 대해 가치가 없다고 여기고, 대상에 내재된 기품을 돌출시키고 있다. 홍매의 얼음 같은 얼굴, 옥 같은 자질, 그리고 시속에 영합하지 않는 품격을 묘사했으니, 바로 작자 자신을 말한 것이다. 모습을 버리고 정신을 취했으며, 형상과 정신을 겸비하여, 사람으로서 꽃을 비유하고 꽃으로써 자신을 비유하고 있다. 이는 동파가 일련의 매화시를 읊은 공통적인 특징이다. (王王)

19-2. 其二

눈 속에 핀 꽃 늦으나
어찌 홀로 봄에 피는 것만 같겠는가.
응당 조물주가 깊은 뜻 있음을 알아
짐짓 붉은 연지를 칠해서 예쁜 자태 나타냈다.

가는 비에 적시어 천 방울 눈물 떨어지고
쌀쌀한 추위에 몸이 파리해 살이 조금 말랐다.
문득 아리따운 복숭아 · 살구꽃의 자태 짓지 않고
몇 개의 새큼한 매실이 이미 나뭇가지에 열렸다.

雪裏開花却是遲, 何如獨占上春時.
也知造物含深意, 故與施朱發妙姿.
細雨裛殘千顆淚, 輕寒瘦損一分肌.
不應便雜妖桃杏, 數點微酸已著枝.

– 권21

◎ 주 석 ◎

- 占(점) : 차지하다.
- 也(야) : 응당.
- 施朱(시주) :『문선(文選)』송옥(宋玉),「등도자호색부(登徒子好色賦)」- "분을 바르니 너무 희고, 연지를 바르니 너무 붉다(著粉太白, 施朱太赤)."
- 著枝(착지) : 나뭇가지에 열리다.

◎ 해 제 ◎

눈 속에 핀 홍매, 조물주가 깊은 뜻으로 예쁜 자태를 나타냈다. 비에 적셔 눈물 떨어지고 추위에 몸이 파리해졌다. 그러나 복숭아, 살구꽃과는 격조가 다르다. 이제 매실이 이미 가지에 열렸다.

20. 한식날의 비 2수
寒食雨 二首

20-1. 其一

황주에 온 뒤로
이미 한식을 세 번 맞았다.
해마다 가는 봄을 아끼려 하건만
봄은 훌쩍 아낌없이 가고야 만다.

올해도 진절머리 나게 비가 와
두 달이나 비가 쏴아 가을처럼 지나갔다.
누워서 해당화에 떨어지는 빗소리 들으니
연지 같은 붉은 꽃잎 비에 흠뻑 젖어 축 처졌다.

어두운 밤에 몰래 꽃을 업고 가니[꽃이 시드니]
밤은 힘도 참으로 세구나.
어찌 다르랴, 병든 소년
병에서 일어났더니 머리 이미 희어졌다는 이야기와.

自我來黃州, 已過三寒食.

年年欲惜春，　春去不容惜．
今年又苦雨，　兩月秋蕭瑟．
臥聞海棠花，　泥汚燕脂雪．
暗中偸負去，　夜半眞有力．
何殊病少年，　病起頭已白．

－ 권21

◎ 주 석 ◎

- 寒食(한식) : 절기 이름. 음력 동지 후 105일이나 106일째 되는 날. 청명절의 하루 전이나 이틀 전. 옛 풍습에, 한식에는 3일 동안 화식(火食)을 금하였다.
- 自(자) :부터.
- 三寒食(삼한식) : 동파는 원풍 3년 2월에 황주에 도착하여, 이 무렵 이미 세 번의 한식날을 지냈다.
- 春去不容惜(춘거불용석) : 무정하게 지나간 봄을 아낄 수 없다. 봄이 훌쩍 지나가다.
- 蕭瑟(소슬) : 소슬하다. 쏴쏴. 휘휘. 바람이 스산하게 부는 소리.
- 燕脂雪(연지설) : 해당화 꽃받침이 마치 여인의 얼굴같이 흰 가운데 붉은 색이 스며있다.
- 暗中偸負去, 夜半眞有力(암중투부거, 야반진유력) : 어두운 밤에 몰래 꽃을 업고 가니[꽃이 시드니], 밤은 힘도 참으로 세구나. 해당화를 야밤에 힘이 센 자가 몰래 업고 갔다. 해당화가 시들었다는 것을 비유한다. 『장자(莊子)』 「대종사(大宗師)」 - “배를 골짜기에 감추고 그물을 못에 숨겨 두고서 그것으로 든든하

다고 한다. 그러나 한밤중에 힘센 사람이 훔쳐 달아나 버리니, 어리석은 자는 알지 못한다(夫藏舟於壑, 藏山於澤, 謂之固矣. 然而夜半有力者負之而走, 昧者不知也)."

◎ 해 제 ◎

47세(원풍 5년, 1082년) 한식날에 지었다. 시의 풍격은 맑고 차고 쓸쓸하다〔淸寒蕭索〕. 한식날에 진절머리 나게 비가 와 그런 것이며, 또한 작자의 내심이 쓸쓸한 것을 반영하고 있기도 하다. 비가 오는 가운데 해당화가 시드는 것을 묘사했다. 자신이 유배살이에서 와병중인 것과 대조된다. 꽃을 애석히 여기며 스스로를 연민하고 있다. (王王)

현재 소동파가 「한식우(寒食雨) 2수」를 손수 쓴 글씨가 남아있다.

20-2. 其二

봄 강물 불어나 대문 안으로 들어오려 하는데도
쏟아지는 비 기운 그치려 하지 않네.
작은 집은 고기잡이배처럼
자욱하고 몽롱한 물보라 속에 있네.

텅 빈 부엌에서는 나물만 볶고 지지고
깨어진 부엌에서는 젖은 갈대로 불을 때고 있네.
어떻게 오늘이 한식날인 줄을 알았는가

까마귀가 종이돈 물고 다니는 것 보고서야 알았네.

임금 계신 구중궁궐은 너무 깊고
서촉 고향의 부모님 산소는 만리 밖에 있네.
길이 막히자 통곡한 완적과 같은 신세
응당 사위어진 재가 불어도 살아나지 못하는 심경일세.

春江欲入戶, 雨勢來不已.
小屋如漁舟, 濛濛水雲裏.
空庖煮寒菜, 破竈燒溼葦.
那知是寒食, 但感烏銜紙.
君門深九重, 墳墓在萬里.
也擬哭途窮, 死灰吹不起.

\- 권21

◎ 주 석 ◎

- 濛濛(몽몽) : 몽롱하다. 흐릿하다. 자욱하다.
- 空庖煮寒菜, 破竈燒溼葦(공포자한채, 파조소습위) : 텅 빈 부엌에서는 나물만 볶고 지지고, 깨어진[무너진] 부엌에서는 젖은 갈대로 불을 때고 있네. 생활이 극히 어렵다는 것을 묘사하고 있다.
- 那(나) : 어찌.
- 烏銜紙(오함지) : 까마귀가 종이돈을 물고 다니다. 백거이(白居

易),「한식음(寒食吟)」 - "바람이 불면 광야에서 종이돈이 날린다(風吹曠野紙錢飛)."

- **也擬哭途窮**(야의곡도궁) : 막다른 길에 와서는 통곡하려 하니. 길이 막히자 통곡한 완적(阮籍)과 같은 신세. 완적은 길을 걷다가 길의 끝이 나오면 통곡하고는 돌아갔다고 한다. 여기서는 완적이 가다가 길이 막히면 통곡하였다는 것을 배우고자 했다는 것이다. 바로 동파 자신이 막다른 길에 봉착했다는 것이다. 也(야) : 응당.
- **死灰吹不起**(사회취불기) : 사위어진 재는 불어도 살아나지 않는다.

◎ 해 제 ◎

한식절은 청명절의 하루 전이다. 이 시는 47세(원풍 5년) 3월에 지었다. 세상에 전해지는 작자의「한식첩(寒食帖)」의 시제(詩題)에는 "우(雨)"자가 없다.

처음에는 극히 황량한 지경에서 생활이 곤궁하여 무한한 감개를 묘사하고 있다. 봄날 날씨가 쌀쌀하고 봄비가 자욱한데 황막한 마을에서 적거생활을 지내고 있다. 나라와 백성을 위해 업적을 이룰 수 없고, 고향에 은거하여 부모님의 산소도 지킬 수 없는 막다른 골목에 봉착하여 있다. 그러나 우환을 겪었기에 마음은 사위어진 재와 같아 이미 다른 생각은 없다. (吳夏蕭)

21. 대야장로에게 도화차를 얻어다가 동파에다 심다
問大冶長老, 乞桃花茶, 栽東坡

『시경』에 씀바귀는 쓰다고 했는데
차 마시는 것은 근세에 나왔다.
애당초 수수와 고기를 싫어하는 까닭으로
이 차를 빌어 뱃속 더부룩한 것을 씻어내었다.

아! 나의 다섯 이랑 밭에
뽕나무와 보리가 더부룩한 것을 괴롭게 여긴다.
작은 땅이라도 놀릴 수 없으니
다시 차의 씨앗을 얻어다 심는다.

추위와 배고픔을 면하지는 못해도
이미 크게 배부른 계책을 세웠다.
바라건대 장차 있는 것과 없는 것을 융통해서
농사와 차 재배 어그러뜨리지 않고 조화시키네.

봄이 와서 언 땅 갈라지고
붉은 차 싹 뾰족하게 돋아난다.
소와 양 번거롭게 쫓아내나

광주리에 차는 것은 바라지 못한다.

강남의 늙은 도인
나이는 점점 늙어간다.
이후 설당(雪堂)의 이 차(茶)를
다만 도화차(桃花茶) 종자라 기록하리.

周詩記荼苦，茗飮出近世.
初緣厭粱肉，假此雪昏滯.
嗟我五畝園，桑麥苦蒙翳.
不令寸地閑，更乞茶子蓺.
饑寒未知免，已作太飽計.
庶將通有無，農末不相戾.
春來凍地裂，紫筍森已銳.
牛羊煩呵叱，筐筥未敢睨.
江南老道人，齒髮日夜逝.
他年雪堂品，空記桃花裔.

– 권21

◎ 주 석 ◎

- 大冶(대야) : 대야현(大冶縣)은 흥국군(興國軍)에 속하는데, 지금의 호북성 무창(武昌) 경내에 있다.

- 周詩記荼苦(주시기도고) : 『시경(詩經)』에 씀바귀는 쓰다고 했는데. 『시경』「패풍(邶風) · 곡풍(谷風)」- "누가 씀바귀가 쓰다고 했는가, 그 달기가 냉이 같네(誰謂荼苦, 其甘如薺)."
- 茗飮(명음) : 차 마시기.
- 粱肉(양육) : 수수와 고기. 쌀밥과 고기반찬. 좋은 음식.
- 雪昏滯(설혼체) : 속이 더부룩한 것을 씻어내다. 雪(설) : 씻다.
- 蓺(예) : 심다.
- 庶(서) : 바라다.
- 通有無(통유무) : 있는 것과 없는 것을 융통하다.
- 農末(농말) : 본래는 농사와 상업. 여기서는 농사와 차 재배.
- 森已銳(삼이예) : 뾰족하게 돋아나다.
- 呵叱(가질) : 꾸짖다.
- 江南老道人(강남노도인) : 여기서는 대야장로(大冶長老)를 가리킨다.
- 齒髮(치발) : 치아와 머리털. 나이.
- 他年(타년) : 훗날. 이후.
- 雪堂(설당) : 소동파가 동파(東坡)에 지은 당(堂). 소동파, 「설당기(雪堂記)」- "동파는 동파(東坡)의 옆구리에 버려진 밭을 얻어 집을 짓고 담장을 둘러 당을 짓고는, 설당(雪堂)이라고 불렀다. 당(堂)은 큰 눈이 오는 가운데 완성되었다. 이 때문에, 사방의 벽에다가 눈을 그렸다(蘇子得廢圃於東坡之脇, 築而垣之, 作堂焉, 號曰雪堂. 堂以大雪中成, 因繪雪於四壁之間)."
- 桃花裔(도화예) : 도화차(桃花茶)의 종자. 裔(예) : 후손.

◎ 해 제 ◎

47세(원풍 5년, 1082년)에 황주에서 지었다. 『명승지(名勝志)』에 도화사(桃花寺)는 지금의 호북성 무창(武昌) 경내의 흥국(興

國) 주(州) 남쪽 15리에 있는데, 차(茶)로 유명하여, 도화절품(桃花絶品)이라고 부른다. 이 시는 맑고 담담한데, 작자가 동파(東坡)에서 경작함에 추위와 배고픔을 면하려고 하는 고심이 붓의 끝에 나타난다. (吳夏蕭)

22. '오래도록 가물었다가 그 뒤에 많은 비가 내렸다' 라는 공의보의 시에 차운하여 3수

次韻孔毅父久旱已而甚雨 三首

22-1. 其一

배고픈 사람 홀연 밥이 시루에 넘쳐난 것을 꿈꾸었는데
꿈속에 배부르니 백가지 근심이 사라지네.
다만 꿈에 배부른 것이 본래 공(空)인 것을 알지만
참으로 배고픈 것이 무언지 깨닫지 못하네.

내 평생 밭이 없어 깨진 벼루 먹었지만
요즘은 벼루가 말라 갈아도 나오지 않는다.
작년엔 해가 재수 없어 한발이 닥쳐와
옆집의 간장도 얻을 수 없었네.

금년에도 한발이 다시 이와 같아
세모에 (쌀이 없으니) 어찌 아궁이에 불을 땔 수 있으리.

넓고 큰 푸른 하늘에 호소해도 들어주지 않는데
하물며 머리 조아려 부처님에게 호소하겠는가.

단지 가운데 도마뱀 더욱 우스워라
꿈틀꿈틀 기어 따라가니 얼마나 질서가 있는가.
음양은 때가 있고 비 내리는 것도 질서가 있으니
백성은 하늘의 백성이라 하늘은 스스로 긍휼히 여기네.

나는 비록 곤궁함이 남만 못하나
요컨대 역시 백성 중의 한 사람.
형용은 상갓집 개처럼 초라하지만
귀를 곧추세우고 던져준 뼈를 다투려 않네.

갓을 거꾸로 쓰고 모자 떨구고 친구에게 사죄하여
홀로 모기소리와 흙 창문을 같이하네.
친구들은 내가 문을 열지 않는다고 꾸짖으나
그대가 우리 문 보면 누가 굽히려 할까.

어여쁜 밝은 달 물 헤친 것같이
깊은 밤 맑은 달빛 내 집을 비추네.
바람은 남쪽에서 불어오니 비올 징조는 아니나
또 고달픈 사람을 위해 답답한 마음을 씻네.

바지 걷어 "상쾌하구나"라는 노래에 화답하니
배고픔과 추위에 내일 생각할 여가 없네.

飢人忽夢飯甑溢, 夢中一飽百憂失.
只知夢飽本來空, 未悟眞飢定何物.
我生無田食破硯, 爾來硯枯磨不出.
去年太歲空在酉, 旁舍壺漿不容乞.
今年旱勢復如此, 歲晚何以黔吾突.
青天蕩蕩呼不聞, 況欲稽首號泥佛.
甕中蝌蚪尤可笑, 跂跂脈脈何等秩.
陰陽有時雨有數, 民是天民天自卹.
我雖窮苦不如人, 要亦自是民之一.
形容可似喪家狗, 未肯弭耳爭投骨.
倒冠落幘謝朋友, 獨與蚊雷共圭蓽.
故人嗔我不開門, 君視我門誰肯屈.
可憐明月如潑水, 夜半清光翻我室.
風從南來非雨候, 且爲疲人洗蒸鬱.
褰裳一和快哉謠, 未暇飢寒念明日.

\- 권21

◎ 주 석 ◎

- 孔毅父(공의보) : 공평중(孔平仲), 자(字)는 의보(毅父), 동파 형제의 오랜 친구이다. '父'는 '보'로 읽는다.
- 我生(아생) : 나는 평생.
- 食破硯(식파연) : 깨진 벼루를 먹다. 글을 써서 지낸다는 의미이다.
- 倒冠落幘(도관낙책) : 갓을 거꾸로 쓰고 모자를 떨구고.
- 蒸鬱(증울) : 답답한 마음.

◎ 해 제 ◎

47세(원풍 5년, 1082) 황주에서 지었다. 배고팠던 일이 꿈속에서 해결된 일로 백 가지 근심이 사라졌다. 나는 평생 글을 써서 지냈지만, 요즘은 글이 나오지 않는다. 한발에 백성들이 고생하는데 아직 비가 올 징조는 아니다.

"나는 비록 곤궁함이 남만 못하나, 요컨대 백성 중의 한 사람. 형용은 상갓집 개처럼 초라하지만, 귀를 곧추세우고 던져준 뼈를 다투려 하지 않는다"는 것은 가치 있는 시구이다. 백성에 다가가고자 하는 관리로서의 의식이 존재하고 있다.

22-2. 其二

작년에 동파(東坡)에서 기왓조각과 자갈을 줍고
몸소 뽕나무 3백 그루 심었다.
올해 풀을 베어 설당(雪堂)을 짓느라
태양과 바람에 얼굴은 시커멓게 그을렸다.

평소의 게으름을 지금 후회하니
늙어서 농사에 힘씀은 하늘이 옳게 여긴 것.
주룩주룩 석 자나 비가 내리니
조물주는 무심하여 헤아리기 어려워라.

사방 상하 온통 구름으로 꽉 차
단비 내리는 것을 용이 막지 못한다.
쑥은 나지막하고 습하여 새벽 쟁기 맞이하고
등불은 서늘하여 귀뚜라미 울기를 재촉한다.

늙은이 일 마치자 바로 단잠에 들고
누워서 담장 동쪽 사람의 나막신 끄는 소리 듣는다.
비가 내려 급히 흐르는 것 그치지 않아 골짜기는 평평하고
갈대와 연꽃은 제멋대로 잠겨버렸다.

썩은 선비는[나는] 거친 밥으로 인생 백년을 버틸 수 있으리니
힘써 경작하니 사람들의 가여워함 받지 않는다.
무너진 못 둑 물이 새서 한발을 견디지 못하고
인력 이르지 못해 하늘만 바라본다.

마땅히 직경 천보(千步)의 못을 만들어
서북을 횡단하여 산의 샘물 막아야지.

사방의 이웃 이끌고 흙을 다져주나
사람들도 내 주머니 텅텅 빈 것을 안다.

내년에 함께 도랑 터지는 비를 보리라
배고픔과 배부름이 나에게 있는 것이지 어찌 하늘과 관련된 것이랴.
누가 나와 밭에서 마시며
벽돌을 베고 취해 거꾸러져 함께 잘까.

去年東坡拾瓦礫, 自種黃桑三百尺.
今年刈草蓋雪堂, 日炙風吹面如墨.
平生懶惰今始悔, 老大勸農天所直.
沛然例賜三尺雨, 造物無心怳難測.
四方上下同一雲, 甘霔不爲龍所隔.
蓬蒿下濕迎曉耒, 燈火新涼催夜織.
老夫作罷得甘寢, 臥聽牆東人響屐.
奔流未已坑谷平, 折葦枯荷恣漂溺.
腐儒麤糲支百年, 力耕不受衆目憐.
破陂漏水不耐旱, 人力未至求天全.
會當作塘徑千步, 橫斷西北遮山泉.
四鄰相率助舉杵, 人人知我囊無錢.
明年共看決渠雨, 飢飽在我寧關天.

誰能伴我田間飲, 醉倒惟有支頭磚.

\- 권21

◎ 주 석 ◎

- 三百尺(삼백척) : 3백 그루.
- 今年刈草蓋雪堂(금년예초개설당) : 올해 풀을 베어 설당(雪堂)을 짓느라. 원풍(元豐) 5년, 동파는 동파(東坡)에다가 집 5간을 지었다. 큰눈이 올 때 완성하였으므로 설당이라고 이름 지었다. 소동파, 「여자안형(與子安兄)」 - "성에서 가까운 곳에 황무지 10수(十數) 무(畝)를 얻어, 그 가운데서 몸소 농사지었는데, 초옥(草屋) 몇 간을 지어, '동파설당(東坡雪堂)'이라고 하였다."
- 沛然(패연) : 주룩주룩. 쏴. 비가 쏴 내리는 모양.
- 甘霔不爲龍所隔(감음불위용소격) : 단비를 내리는 것을 용이 막지 못한다. 단비는 용에게 막히지 않는다. 좋은 비는 용이 구역을 나누는 영향을 받지 않는다. 동파 자주(自注) - "세속에 분용일(分龍日)이라는 말이 있다." 남방의 민간전설에 하늘의 용은 비를 내리는데, 각기 구역을 나누어 분업한다. 5월 20일을 분용일이라고 한다. 甘霔(감음) : 좋은 비. 단비.
- 會當(회당) : 모름지기. 응당.

◎ 해 제 ◎

이는 47세(원풍元豐 5년, 1082년)에 황주에서 지었다. 이 차운시는 동파가 동파(東坡)에서 몸소 농사짓는 정경을 반영하고 있다. 한발에 관심을 가지고 있으며, 풍년이 사람의 노력에 의해 결정된다는 적극적인 사상을 주장하고 있다. 생활 속으로 들어가고 붓을 따라 곧장 써 내리는 기세를 드러내고 있다. (劉)

23. 고기잡이 야만인
魚蠻子

장강과 회수(淮水) 물로 밭을 삼고
배와 노로 집을 삼으며.
물고기와 새우로 양식을 삼으니
밭 갈지 않아도 저절로 생활이 넉넉하다.

이상하구나, 물고기 잡는 야만인 어부여.
본래는 왼편으로 옷을 여미는 오랑캐의 무리가 아니었도다.
나무쪽을 연결해 배를 만들어 강 위에서 살면서
대나무로 기와를 만들어 석 자 오두막집 지어 산다.

어느덧 물 위에서 아들과 손자를 키웠는데
그들은 곱사등이에다 난쟁이라네.
물을 헤치며 방어와 잉어 잡는데
마치 길가에서 물건을 줍는 듯이 쉽게 하더라.

깨어진 솥에는 소금이 하나도 붙어 있지 않고
눈같이 흰 물고기와 푸른 채소를 삶은 국으로
한번 배불리 먹고 나자마자 달게 자니

수달이나 원숭이와 무엇이 다르리.

세상살이 어려워라.
땅 밟는 사람은 모두가 세금을 낸다네.
고기잡이 야만인이
파도 타고 허공에 떠 있는 것만도 못하구나.

풍랑에 배 띄워 허공에 배 타고 다녀도 아직은 알 수 없어라.
앞으로는 마땅히 배에도 세금을 매기리라.
물고기 잡는 어부가 머리를 조아리어 울며
(자신이 고기잡이한다고) 신법집행 관리에게 말하지 말라고 애걸한다.

江淮水爲田, 舟楫爲室居.
魚蝦以爲糧, 不耕自有餘.
異哉魚蠻子, 本非左衽徒.
連排入江住, 竹瓦三尺廬.
於焉長子孫, 戚施且侏儒.
擘水取魴鯉, 易如拾諸途.
破釜不著鹽, 雪鱗芼青蔬.
一飽便甘寢, 何異獺與狙.
人間行路難, 踏地出賦租.

不如魚蠻子, 駕浪浮空虛.
空虛未可知, 會當算舟車.
蠻子叩頭泣, 勿語桑大夫.

— 권21

◎ 주 석 ◎

- 左衽(좌임) : 왼쪽으로 옷섶을 여밈. 오랑캐가 옷을 입는 방식.
- 連排(연배) : 나무를 이어 뗏목을 만들다. 나무쪽을 이어 배를 만들다.
- 戚施(척이) : 곱사등이.
- 侏儒(주유) : 난쟁이.
- 芼(모) : 삶다.
- 駕浪浮空虛(가랑부공허) : 풍랑에 배를 띄워 허공에 뜨다.
- 會當(회당) : 모름지기.
- 算(산) : 계산하다. 여기서는 세금을 내다.
- 桑大夫(상대부) : 상홍양(桑弘羊). 한무제(漢武帝) 때 정부미를 관리하는 치속도위(治粟都尉)를 맡았고, 대사농(大司農 : 농림장관에 해당)을 역임하였으며, 소제(昭帝) 때에 어사대부(御史大夫)에 임용되었다. 철염(鐵鹽)의 국영화 등의 정책을 추진하였으며, 이재(理財)의 명신(名臣)이다. 여기서는 신법을 추진하는 관리, 세금 관리를 비유한다.

◎ 해 제 ◎

47세(원풍 5년, 1082년)에 지었다. 앞으로는 물 위에서 생활하는 어부들에게까지 세금을 징수할 것이라는 우려를 통해 신법(新法)

을 풍자하고 있다. 또한 그들의 식생활에 소금이 없다는 부분에서 염법(鹽法)에 대하여 암시적으로 비판하고 있다. 기윤(紀昀)은 이 시를 "향산(香山 : 백거이)의 일파(一派)로서, 읽으면 완연한「진중음(秦中吟)」이다(香山一派, 讀之宛然秦中吟也)."(紀昀 批點, 『蘇文忠公詩集』 권21)라고 평하여, 백거이(白居易)의 풍유시와 같은 계열의 시로 보고 있다.

24. 거문고
琴詩

만약 거문고 위에 거문고 소리가 있다면
갑 속에 넣으면 어이하여 소리가 울리지 않나?
만약 소리가 손가락 끝에 있다면
그대의 손가락 끝에선 어이하여 들을 수 없나?

若言琴上有琴聲, 放在匣中何不鳴.
若言聲在指頭上, 何不於君指上聽.注)

◎ 해 제 ◎

소동파 자신은 이 시를 게(偈)라고 보았다. 『열반경(涅槃經)』에서 "비유하건대 금슬(琴瑟), 공후(箜篌) 같은 악기는 비록 묘한 음이 있다 해도, 만일 묘한 손가락이 없다면, 끝내 소리를 발할 수가 없다(譬如琴瑟箜篌, 雖有妙音, 若無妙指, 終不能發)"고 하였다. 소동파는 이 불교의 이치를 가지고 전인(前人)은 이 시가 불경에서 근본한다고 하였으니, 또한 근거가 없는 것은 아니다. 그러나 반드시 선(禪)을 비유한 시로만 볼 필요는 없다. 이 시는 통속적이고 쉬우

注) 『소식시집(蘇軾詩集)』에는 나오지 않는다. 王水照 選註, 『蘇軾選集』 147쪽.

며 형상 가운데 철리를 깃들이고 있다. 독자는 그 가운데 밝히고 있는 거문고와 손가락 사이의 변증관계를 빌려 여러 가지 암시를 얻을 수 있다. (王王)

47세(원풍 5년, 1082년) 6월에 지었다. 곧 위 시는 거문고와 손가락 중에 어느 하나만으로는 음악이 탄생되지 않으며, 반드시 이 양자가 합일(合一)해야 음악이 탄생된다는 것이다. 곧 사람의 의지가 담겨 있는 연주자의 손(주관조건)과 그 손에 의해 연주되는 대상, 곧 악기(객관조건)가 인간에 의해 결합되어 어떠한 것이 완성된다는 보편적 철리를 추출해 낼 수 있다.

다시 말하면 연주자의 의지가 담긴 손가락이라는 주관적 조건과 손가락의 동작에 의해 소리를 낼 수 있는 역량을 가진 거문고라는 객관적 조건이 결합되어야 음악이라는 제3의 완성체가 이루어진다는 것이다.

25. 6년 정월 20일, 다시 동문을 나가, 여전히 앞의 운을 사용하다
六年正月二十日, 復出東門, 仍用前韻

산들은 어지러이 빙 둘러싸고 물은 내 집 문 앞에 넘실거리는데
이내 몸은 회남의 끝 마을에 있다.
다섯 무(畝)의 농토는 점차로 늘그막을 보낼 만하고
구중궁궐 조정에는 나의 옛 벼슬하던 흔적 이미 사라졌다.

내 어찌 익히 보던 모래사장 갈매기와 친했을 뿐이겠는가.
자주 갔던 낚시터 바위도 내 체온에 이미 따뜻해졌음을 느끼겠다.
오래도록 봄바람과 더불어 오늘 놀이 약속했으니
은은한 향기 먼저 스미더니 흰 매화의 혼이 돌아왔어라.

亂山環合水侵門, 身在淮南盡處村.
五畝漸成終老計, 九重新埽舊巢痕.
豈惟見慣沙鷗熟, 已覺來多釣石溫.

長與東風約今日， 暗香先返玉梅魂. - 권22

◎ 주 석 ◎

- 亂山環合水侵門(난산환합수침문) : 여러 산들이(산들은 어지러이) 빙 둘러싸고 물은 내 집 앞 문 앞에 침범하는데[넘실거리는데, 모여드는데].
- 五畝漸成終老計(오무점성종로계) : 다섯 무의 농토는 늘그막에 살 계책을 이루었다.
- 豈惟見慣沙鷗熟(기유견관사구숙) : 어찌 강가 모래밭 갈매기 보기만을 익히 했을 뿐인가.
- 先返玉梅魂(선반옥매혼) : 이 구의 표면적인 의미는 '옥매(玉梅)의 향혼(香魂)이 좀 일찍 돌아올 것이다'이다. 시골에 있다가도 매화가 봄바람을 향해 피듯이 쓰임이 되겠다. 대체로 신종(神宗)이 반드시 동파를 끝내 버리지는 않을 것이라는 의미이다. 이 구에는 출사에의 의지가 드러나 있다.

◎ 해 제 ◎

이 시는 48세(원풍 6년, 1083년)에 지었다. 원풍 4년에 지은, 「정월 20일, 기정으로 가는데, 마을사람 반・고・곽씨 3인이 나를 여왕성 동쪽의 선장원까지 배웅하다(正月二十日, 往岐亭, 郡人潘古郭三人送余於女王城東禪莊院)」, 원풍 5년에 지은 「정월 20일, 반・곽 두 서생과 교외에 나가 봄구경하다가, 홀연히 작년 오늘에 함께 여왕성에 가 시를 지은 것이 생각나, 그 시에 화운하다(正月二十日, 與潘郭二生出郊尋春, 忽記去年是日同至女王城作詩, 乃和前韻)」 등 두 수의 운을 여전히 사용하였다. 황주에서 안정된 생활을 하며, 또 다른 희망인 출사에의 의지를 드러내고 있다.

26. 남당 5수

南堂 五首

26-1. 其一

강가의 서쪽 산이 반쯤은 못 둑에 가려 숨었는데
이 지방의 관공서는 일시에 서쪽을 향하여 있다.
남당은 홀로 서남향으로
누워서도 천 척 범선이 낮은 시내로 들어오는 것이 보인다.

江上西山半隱堤， 此邦臺館一時西.
南堂獨有西南向， 臥看千帆落淺溪.

— 권22

◎ 주 석 ◎

- **南堂**(남당) : 황주의 남쪽 임고정(臨皐亭)에 있는데 장강을 굽어보고 있다. 동파에게는 혜주(惠州)에 또 다른 남당(南堂)이 있다.

◎ 해 제 ◎

48세(원풍 6년, 1083년)에 지었다. 『제안습유기(齊安拾遺記)』 - "하오구의 곁에는 본래 물가의 역인데, 정자가 있어 임고정이라고 부른다. 이 지방 사람들은 역의 높은 비탈에다 남당을 지어 선생을 위해 유람과 휴식의 장소로 삼았다(夏澳口之側, 本水驛, 有亭曰臨皐, 郡人以驛之高陂上築南堂爲先生游息)." 이 시는 남당에서 보이는 경치를 묘사하고 있다.

동파는 처음 황주에 와서 장강과 80보 떨어진 임고정에 잠시 거주하였다. 그 해 5월, 친구의 도움으로 임고정의 남쪽 부근에 삼간(三間)의 집을 완성하였다. 동파는 그것을 남당이라고 불렀다. (孔劉)

26-2. 其二

노년이라도 눈의 힘은 오히려 밝은데
병이 많아 머리털이 오히려 부스스하다.
고로 밝은 창가에서 작은 글씨 써놓고
다시 그윽한 방 열어 단사(丹砂)를 만든다.

暮年眼力嗟猶在, 多病顚毛却未華.
故作明窗書小字, 更開幽室養丹砂.

\- 권22

◎ 주 석 ◎

- **未華**(미화) : 빛나지 않는다. 부스스하다.
- **更開幽室養丹砂**(갱개유실양단사) : 다시 그윽한 방 열어 단사(丹砂)를 만든다. 소동파, 「여왕정국서(與王定國書)」 - "근래 어떤 이가 큰 단사를 조금 주었는데, 광채가 매우 기이하여 진실로 감히 복용하지는 못하고 있다. 그러나 그 사람이 양화(養火)하는 것을 가르쳐 주어, 그 변화를 보는데 그런대로 기쁜 정신으로 날을 보낸다(近有人惠大丹砂少許, 光彩甚奇, 固不敢服. 然其人敎以養火, 觀其變化, 聊以悅神度日)."

◎ 해 제 ◎

동파는 병이 많게 되자 남당에서 연단(煉丹)에 몰두한 것을 기록하였다. 이렇듯 그는 도교의 양생술과 연단에 많은 관심을 가졌으며, 그 실천에도 적극적이었다.

26-3. 其三

예전 밤비가 내릴 때면 따분해서 침대를 옮기어 뒤척거려
수심에 찬 빗소리가 내 창자에 뚝뚝 떨어지는 것이 싫었다.
이번에 남당의 새 기와에 비 오는 소리 들으니
마치 동쪽 못에 어린 연꽃의 향내 맡는 듯하다.

他時夜雨困移牀，　坐厭愁聲點客腸.
一聽南堂新瓦響，　似聞東塢小荷香.

\- 권22

◎ 주 석 ◎

- 坐(좌) : 때문.
- 塢(오) : 언덕. 못.

◎ 해 제 ◎

예전 밤비 내릴 때 침대에서 뒤척거리니 창자에 수심에 찬 빗소리가 뚝뚝 떨어지는 것 같았는데, 이번에 기와에 비 떨어지는 소리를 들으니 연못의 연꽃 향기를 맡는 듯하다. 같은 비라도 환경과 마음가짐에 따라 다르게 들린다.

26-4. 其四

산골 집에서 천 개 방(房)의 꿀을 떼어내고
어린 아들은 새로 다섯 무(畝)의 채소를 김맨다.
다시 남당에 손님도 맞이할 수 있으니
문 밖에 친구의 수레가 와도 근심스럽지 않다.

山家爲割千房蜜，　稚子新畦五畝蔬.
更有南堂堪著客，　不憂門外故人車.　- 권22

◎ 주 석 ◎

• 堪著客(감착객) : 손님을 들일 수 있으니.

◎ 해 제 ◎

집에서 벌꿀을 수확하고 아들은 채소를 김맨다. 이제 손님을 맞이할 준비가 되어 근심스럽지 않다.

26-5. 其五

마당을 쓸고 분향하여 집 문을 닫고 잠에 드니
대자리 무늬는 물결 같고 휘장은 안개처럼 뿌옇다.
손님이 오자 꿈에서 깨니 여기가 어딘가
서쪽 창문 활짝 여니 물결이 하늘에 닿았다.

掃地焚香閉閣眠, 簟紋如水帳如烟.
客來夢覺知何處, 挂起西窗浪接天. - 권22

◎ 주 석 ◎

• 挂起(괘기) : 열어 걸다.

◎ 해 제 ◎

마당을 쓸고 분향하고는 잠이 든다. 손님이 오자 깨어 서쪽 창문을 활짝 여니 강 물결이 하늘에 닿은 장관이 보인다. 한적한 분위기에 심미인식이 돋보인다.

27. 아이를 씻으며 희롱하여
洗兒戲作

남들은 아들을 기르면서 총명하길 바라지만
나는 총명 때문에 한평생을 그르쳤다.
오직 이 아이는 어리석고 둔하여
아무 탈 없이 고관직에 이르길 원한다.

人皆養子望聰明, 我被聰明誤一生.
惟願孩兒愚且魯, 無災無難到公卿.注)

◎ 주 석 ◎

• 魯(노) : 노둔하다. 둔하다. 어리석고 둔하다.

◎ 해 제 ◎

48세(원풍 6년, 1083년) 9월 27일, 동파와 조운(朝雲) 사이에 넷째 아들 돈(遯)이 태어났다. 이 아이는 어릴 때 이름이 '간아(幹兒)'였는데, 이 시는 그의 만월(滿月) 때에 지어졌다.
맹원로(孟元老), 『동경몽화록(東京夢華錄)』「육자(育子)」- "만월

注) 『소식시집(蘇軾詩集)』에는 나오지 않는다. 王水照, 『蘇軾選集』 151쪽.

에 이르면 크게 아이를 씻는 모임을 열어, 친족과 손님들이 성대하게 모였다. 아이를 씻는 의식을 마치면, 태발(胎髮)이 떨어지고, 두루 좌객에게 사례하여 잔치를 하였다(至滿月大展洗兒會, 親賓盛集. 洗兒畢, 落胎髮, 遍謝座客, 致宴享焉)."

동파는 자신이 총명 때문에 환난을 입은 데 대한 반감으로, 태어난 지 한 달이 된 자신의 아이는 재앙이나 환난 없이 공경까지 오르기를 기원하고 있다.

안타깝게도 원풍 7년 7월 28일, 이 아이는 병으로 죽었다. (孔劉)

28. 초가을에 자유에게 부치다
初秋寄子由

모든 강물 밤낮으로 흘러가니
사물과 나, 따라서 가버린다.
오직 지난날의 마음만이
의연히 옛 곳을 지키고 있다.

생각나네, 회원역에 있었을 때의 일들
가을 무더위 속에 문 걸어 닫고
명아주국 먹으며 경서와 사서를 마주하고
그대와 함께 흐르는 땀을 닦았었지.

홀연 가을바람 썰렁 불어
낙엽은 창가에 부딪친다.
그대는 일어나 겹옷을 찾다가
문득 탄식하며 내 손을 잡고 말했지.

"젊음은 언제까지 있는 것이 아니라오
이 말 형님은 의심치 마시오.
이별은 어차피 면할 수 없는 것
공명도 기약하기조차 어려울 거요."

그때에도 우린 말할 수 없이 처량했었지
하물며 지금 우리 둘은 늙고 쇠했으니.
인생길 잘못 들었다고 이젠 돌이킬 수도 없는 것
도를 배우려 하니 좀 더 일찍 하지 못한 것이 한스럽다.

밭 사기로 가을에 이미 상의해 놓았고
집 짓는 일도 내년 봄에는 이루어지리.
설당(雪堂)의 비 오고 바람 부는 밤
침상을 마주하고 듣자던 빗소리 이미 들었지.

百川日夜逝, 物我相隨去.
惟有宿昔心, 依然守故處.
憶在懷遠驛, 閉門秋暑中.
藜羹對書史, 揮汗與子同.
西風忽淒厲, 落葉穿戶牖.
子起尋裌衣, 感歎執我手.
朱顏不可恃, 此語君莫疑.
別離恐不免, 功名定難期.
當時已悽斷, 況此兩衰老.
失途旣難追, 學道恨不早.
買田秋已議, 築室春當成.

雪堂風雨夜, 已作對牀聲.

— 권22

◎ 주 석 ◎

- **宿昔心**(숙석심) : 옛날의 마음.
- **憶在懷遠驛**(억재회원역) : 회원역(懷遠驛)은 변경(汴京)에 있다. 26세(가우嘉祐 6년) 때, 동파와 아우 소철은 이곳에서 머물며 과거시험을 준비한 적이 있다.
- **西風**(서풍) : 가을바람.
- **雪堂風雨夜, 已作對牀聲**(설당풍우야, 이작대상성) : 소동파는 아우 소철과 침상을 마주하여 밤에 빗소리를 듣자는 약속을 한 적이 있다. 당대(唐代) 시인 위응물(韋應物)의 「시전진원상(示全眞元常)」 시에 "어찌 알리요? 눈보라 몰아치는 밤에, 다시 여기서 함께 침상을 마주하고 밤을 보낼 수 있게 될까(寧知風雨夜, 復此對床眠)"라는 명구가 있다. '오늘 밤 눈보라가 몰아치는데 침상을 마주하고 흉금을 털어놓고 이야기꽃 나누니 아주 상쾌하구나. 이후 어느 때나 다시 이와 같은 뿌듯한 정취를 누릴 수 있을까?'라는 의미이다. 동파는 지난날 형제 둘이서 이 시를 읽고, 상쾌한 정취가 무르녹아서 훗날 어느 때인가 함께 은퇴하여 산수 속에서 노닐자고 한 그 옛 약속을 회상하였다. 여기까지 생각하니 높은 관직이나 많은 봉록은 구할 가치가 없다고 여기고 있다.

◎ 해 제 ◎

48세(원풍 6년, 1083년)에 지었다. 강물은 밤낮없이 흘러가니 사물도 나도 흘러가고, 지난날의 마음만이 옛 장소를 지키고 있다.

예전 과거에 응시하느라 머물렀던 회원역에서 가을 무더위 속에 문 걸어 닫고 경서와 사서를 마주하고 땀 닦던 일 생각난다. 당시 아우는 “젊음은 언제까지나 있는 것이 아니고 이별도 면할 수 없으며, 공명도 기약하기 어려운 것”이라고 내게 말했지.
이제 우리들 늙어 인생길 잘못 들었다고 돌이킬 수 없고, 도를 배우기도 늦었다네. 농사지을 밭을 사기로 정해 놓았고, 집 짓는 일도 내년 봄에는 이루어지리라. 비바람 부는 밤, 침상을 마주하고 듣자던 옛날 약속 벌써 들린다.

29. 자유가 군(郡)의 관리에게 저지당한다고 들었는데, 아마도 관직을 떠나야 할 것 같다

聞子由爲郡僚所捃, 恐當去官

어려서 내 몸만 위하지 않는 것 배워
옛 뜻 진실로 그득하다.
비록 감히 기필할 수 있겠냐마는
쓰고 버려짐은 마음대로 되지 않는다.

하늘이 애당초 나를 돕는다면
자취 열어 큰 뜻 이루게 하리.
어찌 감히 부탁한 바를 저버렸으리오
기회를 봐 이 몸 버리고자 했다.

어찌 알았으리오, 일이 크게 어그러져
걸음마다 낭패 볼 줄을.
내 이미 할 말 없고
밥시루 떨어짐을 후회해도 늦다.

그대는 겨우 면했으나

계륵(雞肋)의 지경이니 어찌 믿으리오.
벼슬길에 머뭇거려 죄망에 걸리는 것이 두려운 것이니
억지로라도 감히 빨리 벼슬자리를 물러나라고 말하리.

만약 남이 의심하거나 시키면
그대 위해 내가 가벼운 죄를 얻으리.
때가 되었구나. 전원으로 돌아가
나와 함께 동파에서 쟁기 메자꾸나.

少學不爲身, 宿志固有在.
雖然敢自必, 用舍置度外.
天初若相我, 發跡造宏大.
豈敢負所付, 捐軀欲投會.
寧知事大謬, 擧步得狼狽.
我已無可言, 墮甑難追悔.
子雖僅自免, 雞肋安足賴.
低回畏罪罟, 黽勉敢言退.
若人疑或使, 爲子得微罪.
時哉歸去來, 共抱東坡耒.

— 권22

◎ 주 석 ◎

- 捃(군) : 꼬집다.
- 宿志(숙지) : 묵은 뜻. 옛 뜻.
- 用舍(용사) : 쓰고 버려짐.
- 置度外(치도외) : 치지도외(置之度外)하다. 나를 도외시한다. 내 마음대로 되지 않는다.
- 造宏大(조굉대) : 높은 성취에 나아가다.
- 雞肋(계륵) : 닭의 갈비뼈. 뜯어먹을 만한 살은 없으나 버리기에는 아까움.
- 低回(저회) : 머뭇거리다. 배회하다. 고개 숙여 의기소침하다.
- 黽勉(민면) : 부지런히 힘씀. 억지로라도.

◎ 해 제 ◎

48세(원풍 6년, 1083년)에 황주에서 지었다. 당시 소철은 균주(筠州 : 지금의 강서성 고안高安)에서 교수(敎授) 및 감주세(監酒稅)를 담당하고 있었는데, 탄핵을 받아 균주학관(筠州學官)을 사직하였다. 시제(詩題)에서 "군의 관리에게 저지당한다(爲郡僚所捃)"라고 한 것은 이 일을 가리킨다. 이 시는 소동파 형제의 포부와 관직의 길에서 닥친 어려움을 서술하여, 관직을 떠나거나 머무름에 있어 배회하고 편안하지 못함을 반영하고 있다. (劉)

30. 동파

東坡

비가 동파를 씻으니 달빛은 휘영청 맑은데
시장 사람 발길은 끊어지고 마을사람들만 길에 다닌다.
울퉁불퉁 험한 언덕길 싫어하지 말지니
나는 딸그락거리는 지팡이 끄는 소리를 사랑하노라.

雨洗東坡月色清，　市人行盡野人行.
莫嫌犖确坡頭路，　自愛鏗然曳杖聲.

\- 권22

◎ 주 석 ◎

• 東坡(동파) : 동쪽 언덕의 경작지. 황주 동문 밖에 있는데, 원래 황무지 수십 무(畝)를 빌려 몸소 경작하는 땅이다. 백거이의 충주(忠州) 동파(東坡)의 이름을 본받아 '동파'라고 지었으며, 아울러 이것으로 자신의 별호로 삼았다.
• 野人(야인) : 시골사람. 농부. 일설에 '동파 자신'이라고도 한다.
• 犖确(낙학) : 산의 돌이 울퉁불퉁한 모양. 산에 바위가 많은 모양.
• 鏗然(갱연) : 딸그락. 금속소리의 형용. 딸그락거리는 지팡이 끄

는 소리.

◎ 해 제 ◎

48세(원풍 6년, 1083년)에 황주에서 지었다. 작자는 청려한 필치로 비온 후 달빛 아래 거친 언덕 동파에 대한 감상을 묘사하여, 작자의 어려움을 피하지 않는 쇄탈한 흉금을 드러내고 있다. (王王)

이는 황주 폄적지의 동쪽 언덕 경작지〔동파東坡〕에서 자연을 소요하며 인생에 대한 느낌을 표출한 시이다. 여기서 비 내린 후 밝은 달빛 속을 소요하며 험한 언덕길을 사랑하는 작자의 심리를 통해 역경이나 고난에도 좌절하지 않고 그것을 즐기고자 하는 점이 부각되고 있다.

그리고 여기에는 인생의 풍랑, 고통을 거친 후에 획득한 일상의 소소한 것에 대한 잔잔한 기쁨과 심리적 평정상태가 암암리에 드러나 있다. 울퉁불퉁 험한 언덕길은 험난한 인생행로를 상징하고 있기도 하다.

3, 4구는 어려운 인생행로에서도 당사자의 낙천적 성향이 있으면 또 다른 심미적 인식이 가능하다는 것을 묵시적으로 보여주고 있다. 이러한 심미인식은 곧 생활에 대한 애착의 한 표현이며, 작자의 꿋꿋한 내면이 투영되고 있다.

31. 진관(秦觀)의 매화시에 화답하여
和秦太虛梅花

서호처사 임포는 죽어 유골은 바싹 말라 버렸는데
단지 그대의 이 시가 있어 임포의 매화시를 압도하네.
동파선생은 마음이 이미 사그라져 재가 되었는데
그대의 매화시를 좋아한 까닭에 매화에 의해 번뇌하게 되었다네.

매화꽃 구경하려고 말을 세워 황혼을 기다리니
잔설은 아직 덜 녹았는데 달은 일찌감치 떠오르네.
강가의 수많은 나무엔 봄싹이 아직 안 돋아 어둑어둑한데
대나무 밖에 매화 한 가지 비껴 피니 경치 더욱 좋더라.

서호의 고산(孤山) 아래 술 취해 누워 자던 곳
치마 입은 여자 허리춤에 꽃이 분분히 나풀거려도 꽃이 좋아 쓸지 아니한다.
만리 먼 곳에서 온 봄빛은 귀양 온 나를 따라 황주로 오고

10년 동안 매화꽃을 보내고 나는 늙어만 간다.

작년 꽃 피는 시절엔 나는 병들었었고
올해 다시 매화꽃을 대하니 가슴에 구슬픈 생각이 인다.
하룻밤 사이 비바람 불어 봄을 거둬 돌아감을 알지 못하고
매화꽃 남은 향기를 모아 하늘로 돌려보낸다.

西湖處士骨應槁, 只有此詩君壓倒.
東坡先生心已灰, 爲愛君詩被花惱.
多情立馬待黃昏, 殘雪消遲月出早.
江頭千樹春欲闇, 竹外一枝斜更好.
孤山山下醉眠處, 點綴裙腰紛不掃.
萬里春隨逐客來, 十年花送佳人老.
去年花開我已病, 今年對花還草草.
不知風雨捲春歸, 收拾餘香還畀昊.

– 권22

◎ 주 석 ◎

- 秦太虛(진태허) : 진관(秦觀), 자(字)는 태허(太虛). 훗날의 자(字)는 소유(少游). 호는 회해거사(淮海居士). 양주(揚州) 고우(高郵) 사람. 소문사학사(蘇門四學士)의 한 사람이다.

• **西湖處士骨應槁**(서호처사골응고) : 서호처사 임포는 죽어 유골은 바짝 말라 버렸는데. 임포(林逋)가 세상을 떠난 지 오래 되었음을 이른다. 임포는 자(字)가 군복(君復)으로, 전당(錢塘) 사람이다. 항주 서호의 고산(孤山)에 은거하였는데, 매화를 매우 좋아하였다. 그의 「산원소매(山園小梅)」 시, "성근 그림자 얕은 맑은 물에 가로 비껴, 은은한 향기 달뜨는 황혼에 피어오르네(疏影橫斜水淸淺, 暗香浮動月黃昏)"는 명구이다.

• **只有此詩君壓倒**(지유차시군압도) : 단지 그대의 이 시가 있어 임포의 매화시를 압도하네. 이 시어는 과분하게 진관의 시를 찬미한 것이다. 『동파제발(東坡題跋)』 권3, 「평시인사물(評詩人寫物)」 조(條) - "시인은 만물을 묘사하는 공로가 있다. '뽕잎사귀 떨어지지 않았으니, 그 잎사귀 윤택하네.'라고 하였으니, 다른 나무는 이 뽕나무를 당해낼 수 없다. 임포의 「매화」 시에 "성근 그림자 얕은 맑은 물에 가로 비껴, 은은한 향기 달뜨는 황혼에 피어오르네"라고 했으니, 절대로 복숭아나 오얏꽃을 읊은 시는 아니다(詩人有寫物之功. '桑之未落, 其葉沃若', 他本殆不可以當此, 林逋梅花詩云, '疏影橫斜水淸淺, 暗香浮動月黃昏', 決非桃李詩)."

• **點綴**(점철) : 장식하다. 단장하다.

• **佳人**(가인) : 여기서는 작자 자신을 가리킨다.

• **草草**(초초) : 썰렁하다. 구슬프다. 근심스럽다. 대충대충. 허둥지둥.

• **捲春歸**(권춘귀) : 봄을 말아 돌아가다. [아직도 봄이거니 생각하다.]

◎ 해 제 ◎

49세(원풍 7년, 1084년) 봄에 지었다. 이 시는 진관(秦觀)의 「화황법조억건계매화동참료부(和黃法曹憶建溪梅花同參寥賦)」 시에 화답한 것이다. 사실상 진관의 이 시는 수준이 높기는 하나 임포의 매화시를 능가하지는 못한다는 것이 정평이다.

유배지에서의 매화에 감정이입하여, 귀양 온 자신에 대한 감회를 읊고 있다.

32. 해당화

海棠

봄바람이 산들산들 불어 해당화꽃이 흔들리더니
향내 나는 안개 자욱한데 달빛은 회랑을 돈다.
단지 깊은 밤에 해당화가 자고 갈까 두려워
짐짓 긴 촛불 켜서 붉은 꽃을 비추네.

東風嫋嫋泛崇光, 香霧空濛月轉廊.
只恐夜深花睡去, 高燒銀燭照紅妝.

— 권22

주 석

- 東風(동풍) : 봄바람.
- 嫋嫋(요뇨) : 하늘하늘. 산들산들.
- 泛崇光(범숭광) : 훤하게 떴다. 막 자라고 있는 봄빛. 해당화의 우아한 빛이 흔들리다. 泛(범) : 흔들리는 모양. 崇光(숭광) : 높은 곳에 있는 해당화의 빛. 해당화의 빛을 가리킨다.
- 空濛(공몽) : 뿌옇다. 자욱하다.
- 月轉廊(월전랑) : 달빛이 회랑을 돈다. 밤이 이미 깊어졌다.
- 只恐夜深花睡去(지공야심화수거) : 단지 깊은 밤에 해당화가 자고 갈까[시들어 떨어질까] 두려워.

• 紅妝(홍장) : 붉은 꽃. 붉은 꽃단장. 해당화를 비유하고 있다.

◎ 해 제 ◎

49세(원풍 7년, 1084년)에 황주에서 지었다. 달빛 아래 해당화가 지는 것이 아쉬워 긴 촛불 켜서 붉은 꽃을 비추는 모습을 묘사하고 있다. 해당화를 미녀로 보는 의인법을 사용하여 순간의 존재 상실을 아쉬워하는 모습을 나타내고 있다.

33. 황주를 이별하며

別黃州

병들고 종기 난 늙은 말은 굴레를 이기지 못해도
황제께서는 나를 어여삐 여겨 작은 관직을 주셨네.
뽕나무 아래서 세 번 잔 정 어찌 그립지 않으리오.
술동이 앞에 놓고 전별주 마시고 이 몸은 여주로 돌아가리.

허리에 창자를 버틸 만한 쌀을 지고 가
여주 땅의 유행병인 혹을 덮을 넓은 옷깃 옷을 준비했네.
강호에 늙은 몸 던졌으나 끝내 다시 기용되는 날이 있으리니
앞으로는 친구들이 나를 비평하지 말게 하라.

病瘡老馬不任鞿, 猶向君王得敝幃.
桑下豈無三宿戀, 樽前聊與一身歸.
長腰尙載撑腸米, 闊領先裁蓋癭衣.
投老江湖終不失, 來時莫遣故人非.

- 권23

◎ 주 석 ◎

- **敝幃**(폐위) : 해진 커튼. 『예기(禮記)』 「단궁 하(檀弓下)」 - "(궁중의) 해진 커튼 버리지 않는 것은, 말을 매장하기 위함이다(敝帷不棄, 爲埋馬也)."
- **桑下豈無三宿戀**(상하기무삼숙련) : 뽕나무 아래서 세 번 잔 정 어찌 그립지 않으리오. 황주 땅에 어찌 아쉬운 정 없으리오. 오래도록 황주에 거주하면서 떠나기 서운해 하는 마음이 생긴다. 『후한서(後漢書)』 「양해전(襄楷傳)」 - "어떤 사람이 말하길, 노자는 이적(夷狄) 땅에 가서 스님이 되었다고 한다. 스님이 (같은) 뽕나무 아래서 연속 세 밤을 자지 않는 것은, 오래 있으면 은애(恩愛)가 생기지 않게 하려는 것이니, 정진(精進)이 지극함이다(或言老子入夷狄爲浮屠. 浮屠不三宿桑下者, 不欲久生恩愛, 精之至也)."
- **長腰尙載撑腸米**(장요상재탱장미) : 허리에 창자를 버틸 만한 쌀을 지고 가. "장요미(長腰米)"는 초어(楚語)로 상등품의 멥쌀이다.
- **闊領先裁蓋癭衣**(활령선재개영의) : 여주(汝州) 땅의 유행병인 혹을 덮을 넓은 옷깃 옷을 준비했네. 여주의 음료수는 요오드가 부족하여 목의 병이 많이 생긴다. 裁(재) : 마름질하다.
- **投老江湖終不失**(투로강호종불실) : 강호에 늙은 몸 던졌으나 끝내 다시 기용되는 날이 있으리니. 늙어 강호에 머무르지만, 마침내 기용되는 날이 있으리라. 終不失(종불실) : 끝내는 몸을 잃지 않을 것이다.[나를 써먹을 것이다. 기용되는 날이 있을 것이다.]
- **來時莫遣故人非**(내시막견고인비) : 앞으로는 친구들이 (나를) 비난하지 못하게 하리라.

◎ **해 제** ◎

49세(원풍 7년, 1084년) 3월, 동파는 여주(汝州 : 지금의 하남성 임여臨汝)단련부사(團練副使) 본주안치(本州安置)로 옮기게 되었다.

4월에 황주를 떠날 때 이 시를 지었다. 황주의 "허리에 창자를 버틸 만한 쌀"이 아직 뱃속에 있고, 여주에서 유행하는 "목의 혹 병"을 대비하기 위해, 이미 깃이 넓은 옷을 준비했다. 자신이 등용되지 않은 채로 강호에서 늙어 죽을 수는 없으리라. 장래는 더욱 좋아질 것이고 벗들로부터 헐뜯길 수는 없겠지. (王2)

이 시에서 동파는 내심 정치중심지로의 회귀를 바라고 있다.

二 · 여로 旅路

1. 강을 건너 밤에 무창산으로 가면서, 황주의 북소리와 나팔소리를 듣다

過江夜行武昌山上, 聞黃州鼓角

맑은 바람 물 위에 일렁이고 달빛은 산을 머금었는데
나그네는 밤에 오왕 고개를 넘어간다.
황주에서 들려오는 북소리 나팔소리는 또한 다정하게
남녘으로 가는 나를 전송하고자 멀다 않고 따라온다.

강남 땅에서는 또 출새곡 들려오는데
절반은 강물소리에 섞여 비장하고 힘차다.
누가 말했던가, 온 나라 곳곳의 소리 한결같다고
자라는 듣고 분해하고 용은 근심하여 나를 위해 가락을 바꾼다.

기억하건대, 강가의 시들어버린 버드나무
아직 죽지 않고 다시 만나니 그 모습 알아보겠네.
훗날 일엽편주 타고 이 강을 거슬러 오를 때
다시 이 출새곡 불며 맞이하고 보내주겠지.

清風弄水月銜山，　幽人夜度吳王峴.
黃州鼓角亦多情，　送我南來不辭遠.
江南又聞出塞曲，　半雜江聲作悲健.
誰言萬方聲一槩，　鼉憤龍愁爲余變.
我記江邊枯柳樹，　未死相逢眞識面.
他年一葉泝江來，　還吹此曲相迎餞.

－ 권23

◎ 주 석 ◎

- 武昌(무창) : 지금의 호북성 악성(鄂城)으로, 황주의 맞은편, 장강의 남안(南岸)에 있다.
- 弄水(농수) : 물 위에 일렁이다.
- 幽人(유인) : 은자. 작자 자신.
- 吳王峴(오왕현) : 오왕 고개. 무창(武昌) 서산(西山) 아래에 있다. 삼국시대 손권이 여기에다 길을 뚫었기 때문에 이러한 이름을 얻었다.
- 一槩(일개) : 한결같다.
- 他年(타년) : 훗날.
- 迎餞(영전) : 맞이하고 전송하다.

◎ 해 제 ◎

49세(원풍 7년, 1084년) 4월, 황주를 떠난 후에 지었다. 『양계만지(梁溪漫志)』에, "동파는 황주를 떠나 밤에 무창(武昌)으로 가다가 동파 쪽을 바라보며 황주의 북소리 나팔소리를 듣고 처연히 눈

물지었다"라고 하였다. 마지막 2구는 그가 장차 황주로 다시 돌아오게 된다면, 황주의 북소리 나팔소리로 이 곡을 불어 자신을 환영하기를 바라고 있다. 작자가 황주에 대해 깊은 감정을 지니고 있음을 알 수 있다. (吳夏蕭)

2. 처음 여산에 들어가 3수

初入廬山 三首

2-1. 其一

청산은 처음 만나는 것과 같아
그 가파르고 우뚝한 모양이 거만하여 마치 나와 친하려 하지 않는 듯.
여산의 진면목을 알려고 한다면
훗날 다시 오면 친한 친구 같으리.

青山若無素, 偃蹇不相親.
要識廬山面, 他年是故人.

\- 권23

◎ 주 석 ◎

- **若無素**(약무소) : 본래 익힌 것 없는 것 같아. 본디 안면이 없는 것 같아. 처음 만난 것 같아.
- **偃蹇**(언건) : 뽐내고 거만하다. 벌떡 자빠져. 오만하다. 거만하다.
- **他年是故人**(타년시고인) : (한 번 돌아다녀서) 훗날 다시 오면 친한 친구 같으리.

◎ **해 제** ◎

49세(원풍 7년, 1084년) 황주(黃州)에서 여주(汝州)로 가는 도중 여산(廬山)에 들러 지었다. 대상[여산]에 접근하고자 하는 자아의 의지에 따라 대상은 자신에게 가까워질 수 있다는 철리를 보여주고 있다. 곧 여기서 작자는 자아의 의지와 노력에 따라 대상인 자연과의 합일이 가능하다는 것을 드러내고 있다.

대상[여산]이 처음 볼 때는 그 가파르고 우뚝한 모양이 마치 나[작자]와 친하려 하지 않는 듯하지만, 대상에 대해 나의 친하고자 하는 의지와 노력 정도에 따라 상호간의 교감의 심도가 깊어져 결국은 친한 친구가 되게 됨을 토로하고 있다. 여기서 동파는 여산을 무인격체인 자연 그 자체가 아니라 상호교감이 가능한 인격체로 간주하고 있다.

그리하여 자아와 대상과의 거리가 존재하더라도 자신이 대상에게 다가가려는 의식적인 노력이 있다면 대상과 합일될 수 있다는 것을 묵시적으로 보여주고 있다. 기실 이러한 접근의지와 실천적 노력에 의해 대상과 합일의 경지에 도달할 수 있다는 것은 우리 사회의 개인간이나 혹은 어떠한 대상에 대해서도 통용이 가능한 철리이다.

2-2. 其二

오래 전부터 여산의 맑은 구경을 마음에 품고 있었기에

항상 정신이 아득한 노을안개 속에서 노닐었는데

이제는 꿈이 아니라

정말로 여산에 와 있네.

自昔懷淸賞, 神游杳靄間.
如今不是夢, 眞箇是廬山.

- 권23

◎ 주 석 ◎

• 淸賞(청상) : 맑은 구경. 청아한 유람.
• 杳靄(묘애) : 아득한 노을안개.

◎ 해 제 ◎

여산(廬山)을 이전부터 꿈속에서만 그리다가 현실화된 모습으로 눈앞에 전개될 때의 충만한 감동을 나타내고 있다.

2-3. 其三

짚신 신고 푸른 죽장 들고
죽장 끝에 백문(百文)의 돈 걸고 홀로 노닐다가
깊은 산 가운데에 왔는데 괴이하게도
사람들은 벌써 예전 벼슬살이 했던 날 알고 있더라.

芒鞋靑竹杖, 自挂百錢游.
可怪深山裏, 人人識故侯. - 권23

◎ 주 석 ◎

- 故侯(고후) : 전직 고관. 일찍이 높은 직위를 맡았던 사람. 여기서는 동파 자신을 가리킨다. 원래 일찍이 제후로 봉해진 사람을 말한다. 후에 일찍이 관리로 임명되었던 사람을 가리킨다.

◎ 해 제 ◎

짚신을 신고 죽장에 돈을 걸고 여산을 유람하고 있는데, 사람들은 벌써 전직 관리인 자신을 알아보고 있다는 시이다.

3. 여산의 두 승경

廬山二勝, 幷敍

나는 여산을 유람하는 동안, 남북으로 10분의 5, 6은 뛰어난 명승지를 찾을 수 있었으나, 이루 다 기록할 수 없었다. 그러나 게으른 탓으로 시를 짓지 않다가, 이제 오직 가장 뛰어난 곳을 골라서 두 수를 짓는다.

余游廬山, 南北得十五六奇勝, 殆不可勝紀. 而懶不作詩, 獨擇其尤佳者作二首.

3-1. 개선사의 수옥정

開先漱玉亭

높은 바위에 붉은 해 떨어지니
깊은 계곡에는 스산한 바람 불어온다.
푸르고 옥 같은 골짜기를 열어 헤치고
두 마리의 흰 용이 날면서 나타난다.

어지러이 튀는 물거품은 눈서리처럼 흩어지고

오래된 연못에 맑은 공중이 일렁거린다.
남은 물은 소리 없이 미끄러지듯 흘러가
두 개의 바위가 만든 골짜기로 급히 흘러간다.

나는 와서 차마 돌아가지 못하는데
달은 떠서 다리 동쪽에 난다.
백은(白銀)색의 궁궐은 크고 넓으며
수정궁은 깊고 짙다.

원컨대 붉은 잉어를 타고
금고생(琴高生)을 따라가고자 한다.
손에 흰 부용꽃을 들고
맑고 차가운 물속으로 뛰어들고파라.

高巖下赤日, 深谷來悲風.
擘開青玉峽, 飛出兩白龍.
亂沫散霜雪, 古潭搖清空.
餘流滑無聲, 快瀉雙石谼.
我來不忍去, 月出飛橋東.
蕩蕩白銀闕, 沉沉水精宮.
願隨琴高生, 脚踏赤鯶公.
手持白芙蕖, 跳下清泠中.

— 권23

◎ 주 석 ◎

- **十五六**(십오륙) : 10분의 5, 6.
- **開先**(개선) : 개선사(開先寺). 여산(廬山)의 오로봉(五老峰) 아래에 있는데, 남당(南唐)의 중주(中主) 이경(李璟)이 세운 절이다.
- **漱玉亭**(수옥정) : 정자 앞에 폭포가 있어 물을 뿌리는 것이 마치 옥과 같아서 '수옥정'이라고 이름 지었다.
- **兩白龍**(양백룡) : 두 마리의 흰 용. 두 줄기 폭포를 비유한다.
- **古潭搖淸空**(고담요청공) : 오래된 연못에 맑은 공중이 일렁거린다. 폭포에서 떨어져 퍼지는 물방울이 마치 서리와 눈 같은데, 폭포 아래에 모여서 깊은 못을 이루어 하늘을 비춘다. "요(搖, 흔들다)"자를 써서, 물결이 출렁이고, 물에 비친 하늘도 출렁이게 하는 것을 표현하고 있다.
- **谼**(홍) : 큰 골짜기.
- **蕩蕩白銀闕, 沉沉水精宮**(탕탕백은궐, 침침수정궁) : 백은(白銀)색의 궁궐은 크고 넓으며, 수정궁은 깊고 짙다. 달빛이 밝고 흐르는 물이 맑아 달 아래의 정자는 마치 천상의 월궁(月宮)과 물속의 수정궁과 같다.
- **願隨琴高生, 脚踏赤鯶公**(원수금고생, 각답적혼공) : 원컨대 붉은 잉어를 타고, 금고생(琴高生)을 따라가고자 한다. 유향(劉向)의 『열선전(列仙傳)』 권상(卷上)에, "금고(琴高)라는 자는 조(趙)나라 사람인데", 후에 신선이 되어 "탁수(涿水)로 들어가 용의 새끼를 얻었다"고 했다. 그 뒤에 붉은 잉어를 타고서 제자들의 제사를 받았다. 赤鯶公(적혼공) : 잉어의 존칭.
- **芙蕖**(부거) : 부용(芙蓉). 연꽃.

◎ 해 제 ◎

49세(원풍 7년, 1084년), 동파는 여주(汝州)로 부임하는 도중에 여산(廬山)을 경유하며 이 시를 지었다. 황혼 무렵부터 달이 뜰 때까지의 개선사의 수옥정의 경치를 묘사하였는데, 날리는 폭포와 오래된 못, 맑은 흐름과 깊은 골짜기가 눈에 보이는 듯하다. 달 아래의 정자는 더욱이 신선의 경지와 같아서 세속을 벗어난 듯하다. (吳夏蕭)

3-2. 서현곡의 삼협교
棲賢三峽橋

내 들으니 태산의 돌은
몇 해 동안 날을 쌓아 실낱 같은 낙수에 뚫어진다고 한다.
하물며 이 백 가지 우렛소리 내는 폭포수가
만세(萬世) 세월동안 돌과 싸우는 것이랴.

깊이 땅 깊은 곳까지 물에 패여
험하기는 삼협보다 더하다.
길이 끊임없는 시냇물[폭포수]을 실어 날아
막히지 않는 밑구멍을 채우려 하였다.

물결이 튀니 잠긴 물고기 번득이고
진동하는 폭포 소리에 나는 원숭이도 놀라 떨어진다.
맑고 찬 물기운이 돌에까지 들어가
초목들이 모두 단단하고 말랐다.

자욱한 안개와 아지랑이 낀 사이에
진동하는 쇠와 경쇠가 음악연주를 한다.
구부정히 공중에 날듯 하는 다리가 나오고
넘실넘실 가득한 달빛에 활 같은 반달이라.

옥연(玉淵)에 신룡(神龍)이 있어
우박이 갠 날 낮에도 쏟아진다.
물병을 드리워 맑고 단 폭포수를 채우니
마실 수는 있으나 (차가워) 양치질은 못하겠다.

吾聞太山石, 積日穿綫溜.
況此百雷霆, 萬世與石鬪.
深行九地底, 險出三峽右.
長輸不盡溪, 欲滿無底竇.
跳波翻潛魚, 震響落飛狖.
清寒入山骨, 草木盡堅瘦.
空濛烟靄間, 澒洞金石奏.
彎彎飛橋出, 瀲瀲半月彀.
玉淵神龍近, 雨雹亂晴晝.
垂瓶得清甘, 可嚥不可漱.

– 권23

◎ **주 석** ◎

- **棲賢三峽橋**(서현삼협교) : 여산(廬山)에 있는 서현곡(棲賢谷)의 삼협교. 삼협교는 일명(一名) 서현교(棲賢橋).
- **太山**(태산) : 태산(泰山).
- **綫溜**(선류) : 실같이 가는 물 흐름.
- **九地底**(구지저) : 지층(地層)의 깊은 곳. 지하의 깊은 곳. 땅의 가장 낮은 곳.
- **險出三峽右**(험출삼협우) : 험하기는 삼협(三峽)보다 더하다. 여기의 삼협은 촉강(蜀江)의 삼협을 가리킨다. 사천성 봉절(奉節)에서 호북성 의창(宜昌) 사이의 장강 양안에는 협곡이 많은데, 삼협이 가장 험준하다. 서현곡(棲賢谷)의 물살의 험악함은 삼협보다 더하다. 右(우) : 한(漢)나라 이래 오른쪽을 높게 여겼다.
- **長輸不盡溪, 欲滿無底竇**(장수부진계, 욕만무저두) : 길이 끊임없는 시냇물을 실어 날라, 막히지 않는 밑구멍을 채우려 하였다. 물살의 거셈이 마치 다함없는 시내와, 밑 없는 연못에 물을 가득 부으려고 하는 것 같다.
- **山骨**(산골) : 돌을 가리킨다.
- **澒洞**(홍통) : 물살이 용솟음치는 모양. 물살이 세차게 용솟음치는데 그 소리가 우렁차다.
- **瀲瀲**(염렴) : 넘실넘실. 물이 가득 찬 모양.
- **玉淵**(옥연) : 못 이름. 옥연담(玉淵潭). 서현사(棲賢寺) 동쪽 삼협동(三峽洞)에 있다. 서현곡(棲賢谷)의 물은 이 못으로 들어간다.

◎ **해 제** ◎

이 시는 서현곡의 물살이 솟구쳐 사람을 놀라게 함을 묘사하고 있다. 결미가 청신하며 필력이 뛰어나다.

소철(蘇轍)의 「여산서현사신수승당기(廬山棲賢寺新修僧堂記)」에서, 원풍 3년에 소철이 여산(廬山)을 지나며 기록하기를, "서현곡에 들어가니 골짜기에 큰 돌이 많아 높고 험한 것이 서로 의지하고 있는데, 물이 돌 사이를 지나가니, 그 소리가 우레와도 같고, 천승의 수레가 가는 것과도 같아, 천둥이 쳐서 스스로를 지탱할 수 없었다. 비록 삼협같이 험한 곳이라도 이에 지나치지 않는다. 그러므로 그 다리를 삼협교라고 한다(入棲賢谷, 谷中多大石, 岌嶪相倚, 水行石間, 其聲如雷霆, 如千乘車行者, 震掉不能自持, 雖三峽之嶮不過也, 故其橋曰三峽)."라고 했다. 이는 삼협교 아래의 물살의 험악함을 묘사한 것이다. 기이한 언어로 서현곡의 달리는 냇물, 튀는 파도, 구부러진 다리, 맑고 썰렁한 분위기 등의 경관을 생동적으로 묘사하고 있다. (劉)

4. 동림사의 총장로께

贈東林總長老

시냇물 소리는 바로 부처님의 긴 설법
산 경치는 어찌 부처님의 청정법신이 아니리오.
밤에 들은 팔만 사천의 게송(偈頌)들
훗날 어찌하면 사람들에게 다 보여줄까.

溪聲便是廣長舌, 山色豈非清淨身.
夜來八萬四千偈, 他日如何擧似人.

– 권23

주 석

- **廣長舌**(광장설) : 장광설. 부처님이 설법하는 소리. 끝없이 떠드는 소리.
- **清淨身**(청정신) : 청정법신(淸淨法身). 비로자나불.
- **偈**(게) : 게송(偈頌). 부처의 공덕을 찬양하는 노래.
- **擧似人**(거사인) : 사람들에게 다 보여주다. 어떤 판본에는 "거시인(擧示人)".

해 제

이는 동림사 주지 상총(常總)에게 드리는 동파의 유명한 오도송

(悟道頌)이다. 동림사는 여산의 유명한 절이다. 동파가 49세(원풍 7년, 1084년)에 5년간 황주유배를 마치고 여주(汝州)로 향하는 도중에 동림사에 들러 지었다.

흘러가는 개울물 소리를 부처님의 긴 설법 소리로, 산의 경치를 부처님의 청정한 몸으로 비유하고 있다. 무정설법(無情說法)이다. 밤에 들으니 개울물 소리가 불도(佛道)를 깨치고 나서 읊는 수많은 게송(偈頌) 소리로 들린다고 하였다. 게송은 불교의 공덕을 기리는 노래이다. 이는 자연 속에서 흘러가는 시냇물 소리를 통해 가슴으로 터득한 불법의 진리를 많은 중생들에게 다 들려주고픈 작자의 염원이 담겨 있다.

5. 서림사 벽에 쓰다

題西林壁

가로 비껴 보면 산줄기 되고 측면에서 보면 봉우리 되니
멀고 가깝고 높고 낮게 바라본 시점에 따라 그 모습 달라지네.
여산의 참모습을 알지 못하는 것은
다만 이 몸이 이 산 가운데 있기 때문.

橫看成嶺側成峯, 遠近高低總不同.
不識廬山眞面目, 只緣身在此山中.

\- 권23

주 석

- **西林**(서림) : 서림사(西林寺), 곧 건명사(乾明寺), 여산(廬山)에 있다. 진(晉)의 고승 혜영(慧永)이 거처했던 곳.
- **嶺**(영) : 고개. 산줄기. 능선. 평평하고 높으며 긴 것을 영(嶺)이라고 한다(平高而長曰嶺).
- **總**(총) : 어떤 판본에는 “각(各)”.

◎ 해 제 ◎

49세(원풍 7년, 1084년) 4월, 여산(廬山)을 유람하면서 서림사 벽에다 쓴 제시(題詩)이다. 황주 유배지를 떠나 여주로 가는 도중 열흘간 여산을 유람한 후 통찰을 표현한 칠언절구이다. 그는 유배 생활에서 여러 고통과 번뇌를 겪으면서 인생의 심오한 이치를 통찰하고 그것을 승화시키고 있다. 표면적으로는 여산만을 읊고 있으나, 음미해 볼수록 내재된 의미가 확대되어 보편적인 철리를 띠고 있음을 알 수 있다.

짧은 시폭에서 작자는 동적 체험을 통해, 가로로, 측면에서, 멀리서, 가까이에서, 높은 데서, 낮은 데서 등 시점을 이동하여 여산을 관찰하고 있다. 그리하여 각기 상이한 모습으로 나타나는 여산 유람의 정수를 함축적으로 개괄하고 있다.

1, 2구에서 작자는 미시적인 방법으로 대상을 파악한 후에 거시적, 총체적으로 그 인식을 확대시키고 있다. 3, 4구에서는 작자가 산 내부에 있기 때문에 그 산의 진면목을 알 수 없다는 것을 통해, 대상 내부에서의 주관적, 국부적 인식보다는, 내부를 벗어나 대상 외부에서의 객관적 시점에서 더욱더 참모습을 총체적으로 파악할 수 있다는 철리를 드러내고 있다.

바둑에 비유하자면 바둑을 두는 당사자보다는 옆에서 훈수를 두는 사람이 전반적인 대국상황을 더 잘 파악할 수 있는 이치와 같다. 이는 기존 인식의 한계를 극복한 뒤 얻게 된 보편타당성을 지닌 인식이다. 전체 시는 한 자, 한 구의 평이한 시어가 작자의 체험과 독창적 인식태도로 밑받침되면서, 긴밀한 내적 연계하에 응축된 언어로 표현되어 울림을 주고 있다.

요컨대 이러한 대상에 대한 다각도의 시점을 통해 터득, 응축된 철리는 고통스런 인생역정과 대상에 대한 세밀한 관찰을 거친 후 우러나온 참을 추구하는 시적 생명 추구의 결실이자 인생을 통찰한

결정체라 할 수 있다.

황정견(黃庭堅)은 『초계어은총화(苕溪漁隱叢話)』 전집(前集) 권39에서(이 조條는 석釋 혜홍惠洪, 『냉재야화冷齋夜話』 권7과 문자文字가 조금 차이가 있다) 이 시에 대해 다음과 같이 평했다.

"『냉재야화』에서의 이 시에 대한 황정견(黃庭堅)의 평에 '이 노인은 반야의 횡설수설에 대해 끝내 쓸데없는 말이 없으니, 그 붓끝에 혀가 있지 않다면, 또한 어찌 이렇게 전하지 못하는 묘함을 토해냈겠는가?(此老於般若橫說竪說, 了無剩語, 非其筆端有舌, 亦安能吐此不傳之妙)라고 하였다."

6. 도기의 일로당 2수, 其一
陶驥子駿佚老堂 二首, 其一

옛날 (공자의 후손) 공융과 (노자의 후손) 이응은
세상에서 일컬어진 지 오래되었다.
도연명은 내가 스승으로 삼는 분
그대[도기]는 바로 그의 후손이라.

갓을 벗어 걸고는 세월을 기다리지 않는데
또한 어찌 오두미(五斗米)의 녹봉을 바랐겠는가.
나는 「귀래인(歸來引)」을 노래하며
진실로 천년 이전의 옛 스승과 벗하였다.

귀한 서책(書冊) 속에서 서로 만났으니
어찌 한잔 술을 나누는 것 같으리.
그대 취하면 나 또한 돌아가리니
내일 아침 온다면 허락하겠는가.

文擧與元禮, 尙得稱世舊.
淵明吾所師, 夫子乃其後.
挂冠不待年, 亦豈爲五斗.

我歌歸來引，　千載信尚友.
相逢黃卷中，　何似一杯酒.
君醉我且歸，　明朝許來否.

– 권23

◎ 주 석 ◎

• 陶驥子駿(도기자준) : 도기(陶驥)는 자(字)가 자준(子駿)이며 구강(九江) 사람이다. 선덕랑(宣德郞)으로 관직을 그만두었다.
• 文擧(문거) : 공융(孔融), 자(字)는 문거(文擧). 중국 후한 말기의 학자. 공자의 20대손. 문필에 능하여 건안칠자(建安七子)의 한 사람으로 불렸다. 당시 세력을 확장하고 있던 조조(曹操)를 비판 조소하다가 일족과 함께 처형되었다.
• 元禮(원례) : 이응(李膺), 자는 원례(元禮). 동한(東漢)시대의 명사(名士)이자 관리. 2차 당고(黨錮)의 화(禍)가 발생해 이응이 주동적으로 자수했는데 옥에서 고문을 못이겨 죽었다.
• 夫子(부자) : 여기서는 도기(陶驥)를 가리킨다.
• 我歌歸來引(아가귀래인) : 동파 자주(自注) – "나는 연명의 「귀거래사」를 증감하여, 성률에 맞추어 사(詞)를 지었는데, 「귀래인」이라고 불렀다(余增損淵明歸去來, 以就聲律, 謂之歸來引)." 동파의 「귀래인」은 세상에서 그 노래를 불렀는데, 곡명은 「초편(哨遍)」이다.
• 尙友(상우) : 옛사람을 벗으로 삼다.
• 黃卷(황권) : 책. 한적(漢籍).

◎ **해 제** ◎

동파가 도기(陶驥)의 일로당(佚老堂)에 이르러 지었다. 도기는 도연명의 후손인데, 동파는 도연명을 스승으로 삼고 있다. 동파는 도연명의 「귀거래사」를 변화시켜 「초편(哨遍)」 사를 지었다. 이 시에서 같은 성(姓)으로 같은 성의 사람을 비유하는 수사법을 쓰고 있다.

7. 이태백에 화답하여

和李太白, 幷敍

이태백에게 「심양자극궁감추(潯陽紫極宮感秋)」 시가 있다. 자극궁은 지금의 천경관이다. 도사 호동미가 탁본을 내게 보여주었는데, 그의 스승 탁사가 새긴 것이다. 탁사는 도술이 뛰어났고 절의(節義)가 과인(過人)하나 지금은 죽고 없다. 이태백의 시에, "49년 인생이 잘못되었으니, 한 번 지나가면 돌아올 수 없다(四十九年非, 一往不可復)"라는 구절이 있다. 나 역시 49세라, 이에 느낌이 있어 그 운에 차운한다. 옥지는 일명 경전초인데, 호동미가 심은 지 7, 8년이 되었다. 수년이 지나면 먹을 수 있다고 했는데, 내게 남기도록 허락했다. 그러므로 아울러 기록한다.

李太白有「潯陽紫極宮感秋」詩. 紫極宮, 今天慶觀也. 道士胡洞微以石本示余, 蓋其師卓王巳之所刻. 王巳有道術, 節義過人, 今亡矣. 太白詩云, "四十九年非, 一往不可復." 予亦四十九, 感之, 次其韻. 玉芝一名瓊田草, 洞微種之七八年矣, 云, 更數年可食, 許以遺余. 故幷記之.

허적당에 부쳐 누우니
밝은 달빛이 성긴 대나무 사이로 뚫고 들어온다.
싸늘히 내 마음을 씻는데
달빛을 마시려 하나 움킬 수 없다.

흐르는 달빛에 길이 탄식을 발하니
옛날부터 다 그런 것, 나 혼자만 그런 것 아니네.
내 나이 마흔아홉
아직도 이 북창에서 자고 있네.

멀리 탁도인을 생각하니
흰머리에 의술과 점술로 세상을 살았네.
적선(謫仙) 이태백은 진실로 아득히 멀고
탁도사 또한 다시 살아날 수 없네.

세상의 도는 바둑판과 같은 것
변화하면 다시는 고칠 수 없네.
오직 옥지(玉芝)가 늙어
반도 복숭아가 익기를 기다릴 뿐.

寄臥虛寂堂, 月明浸疏竹.
泠然洗我心, 欲飮不可掬.
流光發永歎, 自昔非余獨.

行年四十九, 還此北窗宿.
緬懷卓道人, 白首寓醫卜.
謫仙固遠矣, 此士亦難復.
世道如奕棋, 變化不容覆.
惟應玉芝老, 待得蟠桃熟.

\- 권23

◎ 주 석 ◎

- 潯陽(심양) : 지금의 강서성 구강(九江)이다.
- 泠然(냉연) : 싸늘히. 맑고 싸늘한 모양.
- 流光(유광) : 흐르는 달빛. 흐르는 세월.
- 謫仙(적선) : 이백(李白).
- 此士亦難復(차사역난복) : 탁도사는 이미 죽어 다시 살아날 수 없다. 차사(此士)는 탁도인(卓道人)을 가리킨다.
- 世道如奕棋, 變化不容覆(세도여혁기, 변화불용복) : 세상의 도는 바둑판과 같은 것, 변화하면 다시는 고칠 수 없네. 세상의 도는 바둑판과 같이 변화가 많아 과거의 일은 다시 중복될 수 없다.
- 玉芝, 蟠桃(옥지, 반도) : 모두 전설에 나오는 선품(仙品)으로, 먹으면 장생불로한다.

◎ 해 제 ◎

49세(원풍 7년, 1084년)에 지었다. 여기서 작자는 세월이 유수같이 흘러 한 번 가면 돌아오지 못하는 것을 탄식하고 있다. 인생은 바둑과 같아서 변화한 것은 다시 중복을 용납하지 않는다. 감상적이고 소침한 정서를 표현하고 있다. (吳夏蕭)

"허적당에 부쳐 누우니, 밝은 달빛이 성긴 대나무 사이로 뚫고 들어온다. 싸늘히 내 마음을 씻는데, 달빛을 마시려 하나 움킬 수 없다"에서는 자연이 심리를 정화시키는 작용을 하고 있다.

8. 곽상정의 집에서 술에 취해 방 벽에다 대나무와 돌을 그리다. 곽상정이 시를 지어 답례하고, 또 오래된 동검 두 자루를 내게 선물하다

郭祥正家, 醉畫竹石壁上, 郭作詩爲謝, 且遺二古銅劍

빈속에 술 마시니 날카로운 붓기운이 싹트듯 생겨나
간과 폐에서 삐죽삐죽 나오는 내부의 힘으로 대나무와 돌을 그린다.
엄숙히 그 기운으로 그림을 그리고자 하니 막을 수 없어
정기 토해내듯 그대 집의 눈빛같이 흰 벽에 그리네.

난 평생 시를 좋아하고 또 그림을 좋아하여
담장에다 시를 쓰고 벽에다 그림을 그려 줄곧 남에게 욕먹어 왔네.
그런데 눈을 흘기지도 않고 꾸짖지도 않아 희색이 만면에 가득하니
세상에 뉘라서 다시 그대 같으리오.

그대가 준 두 자루 동검은 가을 물처럼 허옇게 빛나고

써 준 두 수의 새 시는 동검과 다투듯 서슬이 퍼렇게 생기가 돈다.

침상 머리의 칼과 손에 쥔 시

모르겠네, (서로 다투어) 어느 것이 교룡처럼 으르렁 울부짖는지를.

空腸得酒芒角出, 肝肺槎牙生竹石.
森然欲作不可回, 吐向君家雪色壁.
平生好詩仍好畫, 書牆涴壁長遭罵.
不瞋不罵喜有餘, 世間誰復如君者.
一雙銅劍秋水光, 兩首新詩爭劍鋩.
劍在牀頭詩在手, 不知誰作蛟龍吼.

— 권23

◎ 주 석 ◎

- 郭祥正(곽상정) : 자(字)는 공보(功父), 당도(當塗) 사람. 정주통판(汀州通判), 지단주(知端州)를 역임했다.
- 謝(사) : 답례하다.
- 芒角(망각) : 뾰족한 끝. 예봉(銳鋒).
- 槎牙(사아) : 삐죽삐죽. 들쭉날쭉.
- 森然(삼연) : 엄숙한 모양.
- 書牆涴壁(서장와벽) : 담장에다 쓰고 벽을 더럽히다.
- 劍鋩(검망) : 칼의 날카로운 기세. 칼날처럼 날카롭다.

• 吼(후) : 울다. 으르렁거리다.

◎ 해 제 ◎

49세(원풍 7년, 1084년) 7월, 황주로부터 여주로 가는 길에, 당도(當塗)를 지날 때 곽상정의 집에 들러 지은 시이다. 기윤(紀昀)은 『기평소시(紀評蘇詩)』 권23에서 "기이한 기운이 종횡으로 드러나 제어할 수 없다(奇氣縱橫, 不可控制)"라고 했다. 용암처럼 내부에서 분출하는 창작에의 욕구를 표현하였다. 시풍(詩風)과 화풍(畵風)의 일치를 보이고 있다.

9. 형공(荊公)의 시에 차운하여 절구 4수, 其三

次荊公韻 四絶, 其三

나귀 타고 아득히 초목이 무성한 언덕에 드니
선생의 건강할 때 모습 상상해 본다.
내게 권하셨지, (이 근처에) 3무의 집을 구해 보라고
공을 따르기 이미 10년이나 늦었음을 새삼 깨닫네.

騎驢渺渺入荒陂, 想見先生未病時.
勸我試求三畝宅, 從公已覺十年遲.

\- 권24

◎ 주 석 ◎

- **荊公**(형공) : 왕안석(王安石)을 가리킨다. 그는 송대의 정치가이자 이름난 개혁가, 문인으로, 자가 개보(介甫), 호가 반산(半山)이다. 원풍 3년에 왕안석은 형국공(荊國公)에 봉해졌다.
- **四絶**(사절) : 4수의 절구.
- **荒陂**(황피) : 초목이 무성한 언덕. 陂(피) : 비탈. 여기서는 왕안석의 거처인 반산(半山)을 가리킨다.
- **1-2구** : 당시 왕안석은 은퇴하여 금릉(金陵) 장산(蔣山)에서 병을 요양하고 있었다. 그가 병들지 않았을 때를 상상해보면, 반

드시 나귀를 타고 밖으로 유람하고 있었을 것이다. 왕안석의 병이 낫기를 바라는 뜻이 포함되어 있다.

- **勸我試求三畝宅**(권아시구삼무택) : 왕안석은 동파에게 금릉에서 밭을 사서 이웃이 되자고 권했다.

◎ 해 제 ◎

49세(원풍 7년, 1084년) 8월에 지은 것으로, 왕안석의 시에 대한 차운시이다. 동파는 여주(汝州)로 부임하는 길에 금릉(金陵)을 지나면서 당시 이미 재상을 파직하고 금릉에 은거하고 있는 왕안석을 방문하였다. 며칠간 만나 담소하면서 창화(唱和)한 작품도 자못 많아, 두 사람의 정견은 다르지만 사귐은 여전히 존재하고 있다는 것을 알 수 있다. 이 시는 따뜻하고 간절하다. 후배의 신분으로서 왕안석의 건강 상태에 대한 관심을 표현하고, 아울러 왕안석을 따르고자 하는 바람을 표현하여 그를 경모하고 있다. (王王)

10. 왕승지와 함께 장산을 유람하다
同王勝之游蔣山

이 지방에 와서 앉은 자리가 따뜻한 곳 없으니
주민들이 부질없이 실망한다.
좋은 산[장산의 승경勝景]은 10리가 안 되니
구경하지 않으면 후에 한 맺히리.

남조(南朝)의 절 찾아보고자 하여
함께 북쪽 성곽으로 가는 배에 올랐다.
붉은 관청 문은 창 장식을 거두었고
푸른 집은 절이 뛰어났다.

길 양쪽 가에는 푸른 수염 송백(松柏)의 고목이
사람을 푸른 산록에 맞아들인다.
용의 허리[종산鍾山]에는 옛 오나라에 서려 있고
새의 발톱은 층암절벽 꼭대기에 붙어 있다.

대나무 가지에는 빛나는 집 처마가 날아갈 듯하고
솔뿌리에는 가는 샘물 졸졸 흐른다.
봉우리가 삐죽삐죽하니 햇빛을 잘 가리고
강은 멀리 하늘을 띄우고자 한다.

외나무다리는 가을물에 걸쳐 있고
탑은 저문 연기에 꽂혀 서 있다.
돌아오는 길에 달에 비친 사람 그림자 밟으니
구름은 가늘고 달은 아름답다.

到郡席不暖，居民空悯然.
好山無十里，遺恨恐他年.
欲款南朝寺，同登北郭船.
朱門收畫戟，紺宇出青蓮.
夾路蒼髯古，迎人翠麓偏.
龍腰蟠故國，鳥爪寄層巔.
竹杪飛華屋，松根泫細泉.
峯多巧障日，江遠欲浮天.
略彴横秋水，浮圖插暮煙.
歸來踏人影，雲細月娟娟.

- 권24

◎ 주 석 ◎

- 王勝之(왕승지) : 왕익유(王益柔), 자(字)는 승지(勝之). 재상 왕서(王曙)의 아들, 하남(河南) 사람. 당시 지강녕부(知江寧府)로 부임한 지 하루 만에, 남도(南都 : 남경南京 응천부應天府, 지금의 하남성 상구商丘)로 옮겼다.
- 蔣山(장산) : 종산(鍾山). 지금의 자금산(紫金山)으로, 남경시(南

京市) 동쪽에 있다.

• **席不暖**(석불난) : 앉은 자리가 따뜻하지 않다. 이리저리 다니느라 바빠 편안히 있지 못하다.
• **好山無十里, 遺恨恐他年**(호산무십리, 유한공타년) : 좋은 산은 10리가 안 되니, 구경하지 않으면 후에 한 맺히리. 장산의 승경은 유람하는 데 10리만큼도 멀지 않으니, 유람하지 않으면 훗날 후회할 것이다.
• **朱門收畫戟, 紺宇出靑蓮**(주문수화극, 감우출청련) : 붉은 관청 문은 창 장식을 거두었고, 푸른 집은 절이 뛰어났다. 동파 자주(自注) - "왕안석의 주택이 이미 절이 되었다(荊公宅已爲寺)." 3품(三品) 이상의 관리의 집 문에는 모두 창이 벌여 있다. 靑蓮(청련) : 사원(寺院).
• **蒼髥**(창염) : 소나무, 회(檜)나무를 가리킨다.
• **龍腰蟠故國, 鳥爪寄層巓**(용요반고국, 조과기층전) : 용의 허리[鍾山]에는 옛 오나라에 서려 있고, 새의 발톱은 층암절벽 꼭대기에 붙어 있다. 진(晉) 장발(張勃)의 『오록(吳錄)』에, 제갈량(諸葛亮)은 금릉(金陵)의 지형을 논하여, "종산은 용이 서려 있고, 석두성은 호랑이가 걸터앉아 있다(鍾山龍盤, 石頭虎踞)." 라고 하였다.
• **峯多巧障日, 江遠欲浮天**(봉다교장일, 강원욕부천) : 봉우리가 많으니[삐죽삐죽하니] 햇빛을 잘 가리고, 강은 멀리 하늘을 띄우고자 한다. 巧(교) : 잘. 공교로이.
• **略彴**(약작) : 외나무다리. 작은 나무다리.
• **浮圖**(부도) : 탑.

◎ 해 제 ◎

49세(원풍 7년, 1084년)에 지었다. 왕승지와 장산을 유람한 것을 기록하였다. 장산의 승경은 10리가 안 되니 아쉬움 없이 구경하고 싶다.

채조(蔡絛), 『서청시화(西淸詩話)』 권상(卷上) - “원풍 연간에 왕안석이 금릉에 있었는데, 동파는 황주로부터 북쪽으로 옮기는 길에 날마다 왕안석과 노닐며 고대의 문자를 논하였다. 왕안석은 탄식하여 사람에게 말하길, ‘모르겠구나, 다시 몇 백 년이 지나 이와 같은 인물이 날지를!’ 동파는 강을 건너 의진(儀眞)에 이르러, 「화유장산(和游蔣山)」 시를 금릉의 태수 왕승지(王勝之)에게 보냈는데, 그는 자주 꺼내어 읽어보다가, ‘봉우리가 삐죽삐죽하니 햇빛을 잘 가리고, 강은 멀리 하늘을 띄우고자 한다(峯多巧障日, 江遠欲浮天)’에 이르자 책상을 어루만지면서 말하길, ‘내가 평생 시를 지었는데, 이 두 구만한 시가 없구나’라 하였다.” 그리고는 아울러 화답시를 지었다. (王1)

소자첨(蘇子瞻)이 강을 건너 의진(儀眞)에 도착하여 형공(荊公 : 왕안석의 봉호)의 유장산시(遊蔣山詩)에 화답하는 시를 지어 형공에게 보내니 형공은 그 시를 읽다가,

‘산봉우리가 많으니 햇빛을 잘 가리고
강은 멀리 하늘을 띄우고자 한다.
(峯多巧障日, 江遠欲浮天)’

라고 한 데에 이르자 탁자를 어루만지며 감탄하였다.

“내가 일생 동안 지은 시가 이 두 구절만 못하다.” (『하씨어림何氏語林』) (허균許筠, 『성소부부고(惺所覆瓿藁)』, 『한정록(閑情錄)』 권13)

11. 심규가 광남으로 부임함을 전송하다
送沈逵赴廣南

아! 그대와 나 모두 병자년생인데
49년을 궁하게 지내면서도 죽지 않았네.

그대는 막부(幕府)를 따라 서강(西羌)으로 전쟁 나가
밤에 얼음 강 건너서 구름 낀 보루를 격파하였지.
먼지 날려 하늘 가득 넘치고 화살이 갑옷에 떨어지고
(전쟁을 마치고) 돌아와 처자를 대하니 참으로 꿈만 같으리라.

나는 황강(黃岡)에 유배 온 지 4, 5년
외로운 배 안개파도 속에 출몰하네.
친구들 더 이상 문안 소식 없어지고
질병과 추위, 배고픔에 거의 죽을 뻔 했네.

상봉해 악수하고 크게 웃으니
백발 늙은 얼굴 서로 비슷하여라.

나는 바야흐로 북쪽으로 여러 강을 건널 터
그대는 다시 남쪽 만리 길을 가벼이 가리.

공명(功名)은 몽환과 같으니 무엇 생각할 것 있으리오.

도를 배움에 한정 있으니 참으로 기쁘다.

구루(勾漏)의 단사(丹砂)를 이미 그대에게 부탁했으니

여양(汝陽)의 단지만한 혹이라도 내 무얼 부끄러워하리.

그대 돌아가거든 날 찾아와 닭 잡고 기장밥 짓는 약속을 하세

밭 사고 집 짓는 일 지금부터 시작하리.

嗟我與君皆丙子, 四十九年窮不死.
君隨幕府戰西羌, 夜渡冰河斫雲壘.
飛塵漲天箭灑甲, 歸對妻孥眞夢耳.
我謫黃岡四五年, 孤舟出沒烟波裏.
故人不復通問訊, 疾病飢寒疑死矣.
相逢握手一大笑, 白髮蒼顔略相似.
我方北渡脫重江, 君復南行輕萬里.
功名如幻何足計, 學道有涯眞可喜.
勾漏丹砂已付君, 汝陽甕盎吾何耻.
君歸赴我雞黍約, 買田築室從今始.

\- 권24

◎ 주 석 ◎

- **嗟我與君皆丙子, 四十九年窮不死**(차아여군배병자, 사십구년궁불사) : 아! 그대와 나 모두 병자년생인데, 49년을 궁하게 지내면서도 죽지 않았네. 두 사람이 같은 해 출생했음을 묘사하고 있다. 동파는 경우(景祐) 3년 병자(丙子) 12월 19일생(양력으로는 1037년 1월 8일생)으로 미산(眉山)에서 태어났다. 원풍 7년 갑자(甲子)까지 49년이다.
- **西羌**(서강) : 서하(西夏)를 가리킨다.
- **斫雲壘**(작운루) : 적의 높은 보루를 격파하다. 雲壘(운루) : 구름까지 높이 솟은 보루.
- **故人不復通問訊**(고인불부통문신) : 친구들 더 이상 문안 소식 없어지고. 동파의 「답진사중주부서(答陳師仲主簿書)」에도 이를 언급하여, "죄를 얻은 후로는, 평소의 친한 이라도, 감히 안부를 묻지 못하는 자가 있었다(自得罪後, 雖平生厚善, 有不敢通問者)."라고 했다.
- **我方北渡脫重江**(아방북도탈중강) : 나는 바야흐로 북쪽으로 여러 강을 건널 터이네. 당시 동파는 경구(京口 : 지금의 진강鎭江)에서 머물렀다가, 바로 북으로 상주(常州)로 가려 하였으므로, '북으로 건넌다'라고 했다.
- **勾漏丹砂**(구루단사) : 구루(勾漏)는 산 이름. 지금의 광서성 북류현(北流縣)에 있다. 『진서(晉書)』「갈홍전(葛洪傳)」에, 갈홍이 연로하자 단사를 만들고자 기도하여, "교지(지금의 광동성, 광서성 일대)에 단사가 난다는 이야기를 듣고, 구루령이 되기를 구하였다(聞交趾出丹, 求爲勾漏令)."고 하였다. 丹砂(단사) : 선약(仙藥)의 일종.
- **汝陽**(여양) : 여주(汝州).
- **甕盎**(옹앙) : 단지. 단지만한 혹을 형용한다.

• 君歸赴我雞黍約(군귀부아계서약) : 그대 돌아가거든 날 찾아와 닭 잡고 기장밥 짓는 약속을 하세. 이별한 후 약속대로 다시 만나기를 희망한다. 맹호연(孟浩然), 「과고인장(過故人莊)」 - "벗은 닭과 기장밥 준비하고, 농장으로 나를 초대하네(故人具雞黍, 邀我至田家)."

◎ 해 제 ◎

49세(원풍 7년, 1084년) 가을, 동파는 금릉에서 심규를 만나 이 시를 지었다. 심규는 일찍이 영가지현(永嘉知縣), 대리시승(大理寺丞) 등의 관직을 역임하였다. 광남(廣南)은 송대의 노명(路名)으로 광남동로와 광남서로가 있는데, 지금의 광동성과 광서성 일대에 해당한다.

시의 수련(首聯)에서 두 사람이 동갑인 것으로 시작하여, 미련(尾聯)에서는 재회의 약속을 하는 것으로 마치고 있다. 중간에서는 4구를 한 층으로 하여, 제1층에서는 그가 종군하여 적을 격파한 것을, 제2층에서는 자신이 황주에 폄적되었음을, 제3층에서는 두 사람이 현재 상봉하였음을, 제4층에서는 두 사람이 이후의 앞길을 묘사하고 있다. 순서가 정연하여, 말은 간략하나 의미는 넓다. (劉)

12. 금산에서 꿈을 꾸며 짓다
金山夢中作

강동의 장사꾼 차림의 길손은 목화 옷 해 입어
금산에서 모였다 흩어졌다 하고 달빛은 누각에 가득하다.
깊은 밤에 조수가 올라오고 바람이 또 순해지니
배에서 누워 퉁소 불며 양주(揚州)에 이른다.

江東賈客木緜裘, 會散金山月滿樓.
夜半潮來風又熟, 臥吹簫管到揚州.

\- 권24

◎ 주 석 ◎

- **江東賈客木緜裘**(강동고객목면구) : 강동의 장사꾼 차림의 길손은 목화 옷 해 입어. 동파 자신의 옷이 마치 장사꾼과 같다는 것을 말한다. 당시의 사대부는 가죽옷을 일상복으로 입었다. 그러므로 목화 옷은 속(俗)되다고 여겼다. 賈客(고객) : 장사꾼.
- **風又熟**(우풍숙) : 바람이 또 자다. 바람이 또 순해지다. 기윤(紀昀), 『기비(紀批)』 권24 - "지금 배 타고 다니는 사람들에게 '풍숙(風熟)'이라는 말이 있다. 대개 바람이 처음 일어나서는 풍향이 일정치 않다가, 하루가 지나면 돌지 않고 방향이 정해지

는데, 이것을 '풍숙'이라고 한다."

- 揚州(양주) : 금산(金山)과 가까우며, 금산에서 강을 건너 멀리 가지 않아 도착한다.

◎ 해 제 ◎

49세(원풍 7년, 1084년)에 지었다. 황주로부터 여주단련부사(汝州團練副使)로 가던 도중에 금산에서 꿈을 꾸며 지은 시이다. 장사꾼 옷을 입고 배를 타고 달을 감상하다가 양주에 이른다.

13. 고우 사람 진직궁 처사의 기러기 그림 2수

高郵陳直躬處士畫雁 二首

13-1. 其一

들기러기가 사람을 보면
날아가기도 전에 날려는 티가 난다.
그대는 (저 기러기를) 어디서 보았기에
이렇게 사람 분위기가 없게 그렸는가.

고목같이 서로 의식하지 않는 모습 아닌가?
사람도 기러기도 자유자재의 경지로다.
북풍이 마른 갈대를 흔들거리게 하고
미설(微雪)이 찬란하게 떨어지네.

참담한 구름과 물은 어두침침하고
환한 등불 빛에 모래가 부서지네.
새를 잡는 사냥꾼은 슬피 무엇을 사모하는가
일거(一擧)에 강해(江海)가 아득하다.

野雁見人時， 未起意先改.
君從何處看， 得此無人態.
無乃槁木形， 人禽兩自在.
北風振枯葦， 微雪落璀璀.
慘澹雲水昏， 晶熒沙礫碎.
弋人悵何慕， 一擧渺江海.

– 권24

◎ 주 석 ◎

• **高郵**(고우) : 강소성에 있는 지명.
• **陳直躬**(진직궁) : 고우(高郵) 사람. 송대의 직업화가로, 부자(父子)와 형제가 모두 그림으로 유명한데, 그들의 그림은 당시에 높이 평가받았다.
• **無乃槁木形**(무내고목형) : 고목같이 서로 의식하지 않는 모습 아닌가? "고목 같은 모습"이란 것은《장자(莊子)》「제물론(齊物論)」의 "육체란 본래 고목처럼 될 수 있고, 마음도 애초 불꺼진 재가 될 수 있다는 겁니까?(形固可使如槁木, 而心固可使如死灰乎)"에서 유래하는데, 곧 의도가 없이 마음은 허심하여 자신의 존재를 잊고 나서야, 기러기와 함께할 수 있고, 기러기의 생활도 체험할 수 있어, 기러기의 자태를 그릴 수 있다. 다시 말해, 물아상망(物我相忘)의 경지까지 이르게 된다는 것이다.
• **璀璀**(최최) : 옥의 빛. 여기서는 눈[雪]의 밝고 깨끗함을 형용하고 있다.

◎ **해 제** ◎

49세(원풍 7년, 1084년)에 지었다. 이는 동파가 진직궁(陳直躬) 처사의 기러기 그림을 보고 지은 제화시(題畵詩)이다. 표면적으로는 정적인 가운데 날려고 하는 순간의 기러기의 동적인 내면적 정신상태를 예리하게 파악하고 있다.

1, 2구의 "들기러기가 사람을 보면, 날아가기도 전에 날려는 티가 난다"에서 작자는 기러기를 비범한 관찰력으로 은밀히 파악하여 날려고 하는 순간적 형상을 포착하고 있다. 이는 기러기의 내면 심리상태를 핵심적으로 파악한 것이다.

3, 4구에서는 화가와 기러기가 서로 상대를 전혀 의식하지 않고 있는 천연적 분위기임을 알 수 있다. 그리하여 사람 분위기가 전혀 없는 것이다. 이것은 곧 화가가 기러기 자신을 그리고 있음을 아는지 모르는지 기러기는 놀라지 않고, 화가도 기러기를 의식하지 않고 있는 집중적, 자연적 상태이다. 이것은 대상을 의식하지 않고 자유자재의 경지에 이른 장자(莊子)적 어우러짐의 경지라 할 수 있다.

5, 6구에서는 물아상망(物我相忘)의 상태에서 사람과 기러기가 모두 자유자재의 경지에 있음을 표현하고 있다.

13-2. 其二

여러 새들이 일마다 다투는데
들기러기는 홀로 한가롭고 깨끗하다.
서서히 나니 그 뜻이 자연스럽고
날아 올라갔다 내려갔다 하는 것은 절도가 있는 듯.

나는 노쇠하여 강호에 남은 삶을 의탁하니
늘그막에 거위와 오리와 섞여 살리.
편지 써서 진직궁이
초계와 삽계의 새벽 경치 그리는지 묻네.

기러기 끼리끼리 의지하여 둥근 모래밭에 모이고
점점 새벽달을 향해 날아간다.
먼저 끼르륵 울고는 홀로 깃을 퍼드득 치니
우수수 갈대꽃이 눈같이 흩어진다.

衆禽事紛爭, 野雁獨閑潔.
徐行意自得, 俯仰若有節.
我衰寄江湖, 老伴雜鵝鴨.
作書問陳子, 曉景畫苕霅.
依依聚圓沙, 稍稍動斜月.
先鳴獨鼓翅, 吹亂蘆花雪.

— 권24

◎ 주 석 ◎

- 苕霅(초삽) : 초계(苕溪)와 삽계(霅溪).
- 依依(의의) : 끼리끼리 의지하다. 나뭇가지가 바람에 한들거리는 모양. 아쉬워하는 모양.

◎ 해 제 ◎

1, 2구에서 일마다 다투는 뭇새들과 대비되어 홀로 한가로운 들기러기의 형상이 부각되어 있다. 3, 4구에서 그 들기러기는 자연스러움 속에 절도가 있어 보인다. 그림에서의 새의 한적하고 자연스러움에 작자가 몰입하고 있다. 5, 6구에서는 은거하여 자연과 벗삼으며 한적히 보내고자 하는 작자의 정이 반영되고 있다.
전체적으로 당시의 복잡한 정계를 벗어나 그 중압감으로부터 해방되어, 한가롭고 여유 있고 자연스러운 기러기를 동경하며, 거위, 오리와 어울려 강호에 은거하고 싶은 동파의 자아형상을 반영하고 있다.

14. 사주에서 제야에 눈이 오는데, 황사시가 도소주를 보내오다 2수, 其一
泗州除夜雪中黃師是送酥酒 二首, 其一

저녁에 펄펄 싸락눈 내리는데
봄 냇물은 콸콸 소리 내며 누런 모랫가를 달린다.
옛 놀이는 꿈과 같으니 헛되이 말할 수 있으리오마는
쫓겨난 나그네는 스님과 같으니 어찌 집이 있을까.

썰렁한 벼루로 쓰려 해도 먹물이 먼저 어는데
외로운 등불은 어인 일로 홀로 불꽃을 발하는가.
사군께선 야반에 도소주를 보내 주시니
놀라 일어나 처자들과 웃고 떠드네.

暮雪紛紛投碎米, 春流咽咽走黃沙.
舊游似夢徒能說, 逐客如僧豈有家.
冷硯欲書先自凍, 孤燈何事獨生花.
使君夜半分酥酒, 驚起妻孥一笑譁.

\- 권24

◎ 주 석 ◎

- **酥酒**(소주) : 도소주(酴酥酒), 곧 도소주(屠蘇酒)이다. 설날에 마시는 약주의 한 가지로, 이 술을 마시면 사기(邪氣)와 질병을 물리친다고 한다. 나이가 젊은 사람 순으로 마신다.
- **逐客如僧豈有家**(축객여승기유가) : 쫓겨난 나그네는 스님과 같으니 어찌 집이 있을까. 황주(黃州)에 유배된 이래 생활이 고되고, 생활거처도 일정치 않았다.

◎ 해 제 ◎

49세(원풍元豐 7년, 1084년) 12월 1일, 동파는 사주(泗州 : 지금의 강소성 숙천宿遷 동남쪽)에 도착하여 한 달 동안 체류했는데, 이곳에서 제야를 지냈다. 황실(黃實)은 자(字)가 사시(師是)인데, 당시 회동제거상평(淮東提擧常平)으로 있었다. 그는 소철(蘇轍)의 막내아들 소원(蘇遠)의 장인이다. 그가 사주에서 제야에 동파와 만나 동파에게 도소주를 보내주니, 식구들이 기뻐하였다. (劉)

15. 손신로가 먹을 보내주다 4수
孫莘老寄墨 四首

15-3. 其三

나는 가난하기가 굶주린 쥐와 같아
긴긴 밤 공연히 씹는다.
벼룻돌에다 부엌 그을음[먹]을 갈고
갈대로 감나무 잎에 글씨를 쓴다.

근자에 당부자가
멀리서 둥근 검은 먹을 보내왔는데
선생[손신로]이 또 먹을 보내주어서
규벽[먹]은 상자에서 빛난다.

맑은 창가에서 벼루 갈고 앉아 있으니
글씨가 점점 뱀 서리듯 구불구불 맺힌다.
문득 일을 좋아하는 사람이 있어
문을 두드리고는 취해 쓴 글씨를 구한다.

我貧如飢鼠，長夜空齩齧.
瓦池研竈煤，葦管書柹葉.
近者唐夫子，遠致烏玉玦.
先生又繼之，圭璧爛箱篋.
晴窗洗硯坐，蛇蚓稍蟠結.
便有好事人，敲門求醉帖.

– 권25

◎ 주 석 ◎

- **孫莘老**(손신로) : 손각(孫覺). 당시 비서소감(秘書少監)으로 있었다. 고우(高郵) 사람으로, 자는 신로(莘老)이고 호원(胡瑗)을 사사(師事)하였다.
- **長夜空齩齧**(장야공교설) : 긴긴 밤 공연히 씹는다. '긴긴 밤 공연히 책을 본다'는 의미이다. 齩 : 깨물 교. 齧 : 씹을 설.
- **葦管書柹葉**(위관서시엽) : 갈대로 감나무 잎에 글씨를 쓴다. 『당서(唐書)』에서의 정건(鄭虔)의 고사를 사용하였다. 정건은 붓글씨 쓰기를 좋아했는데, 종이가 없었다. 자은사(慈恩寺)에는 감잎을 저장한 몇 집이 있었는데, 정건은 매일 그곳에서 감잎을 꺼내 글자를 썼다. 그는 거의 대부분의 감잎에다 글자를 썼다.
- **近者唐夫子, 遠致烏玉玦**(근자당부자, 원치오옥결) : 근자에 당부자가, 멀리서 검은 먹을 보내왔는데. 동파 자주(自註) – "당림부가 장우의 먹 반 개를 부쳐왔다(唐林夫寄張遇墨半丸)." 당부자(唐夫子)는 이름이 경(坰)으로, 당언유(唐彦猷)의 아들이다. 이단숙(李端叔)은 "그의 집에는 좋은 먹이 많았는데, 일찍이 망

령되이 남에게 주지 않았다. 동파가 아니면 얻지 못했을 것이다."라고 하였다. 烏玉玦(오옥결) : 둥근 검은 먹. 먹을 가리킨다. 반환(半環)을 결(玦)이라고 하는데, 먹의 모양이 결(玦 : 한쪽이 이지러진 고리 모양의 패옥佩玉)과 같다는 것을 형용한다.

- **圭璧**(규벽) : 홀 모양의 옥. 먹을 비유한다.
- **蛇蚓稍蟠結**(사인초반결) : 글씨가 점점 뱀 서리듯 구불구불 맺힌다. 자형(字形)이 뱀과 지렁이가 구불구불 맺힌 듯하다.

◎ 해 제 ◎

50세(원풍 8년, 1085년) 정월, 사주(泗州)에서 지었다. 동파는 가난 속에 책을 보고, 먹을 갈고 감나무 잎에 글씨를 쓴다. 근자에 당부자가 먹을 보내 왔고, 또 손신로가 먹을 보내주어 벼루를 갈고 글씨를 쓰니 이 글씨를 구하는 사람이 있다.

15-4. 其四

나의 궁함은 본래 시에 연루된 것
오래도록 시 쓰기를 삼가라는 친구들의 권고를 귀담아들었네.
5년 동안 강호에 유배 되어
입 다물고 남은 빚을 씻었네.

요즈음 다시 조금씩조금씩
시 지을 생각이 상처딱지 긁듯 꿈틀꿈틀 일어나네.

선생은 나를 나무라지 않고
또 다시 시를 지을 먹을 보내주셨네.

검은 먹의 빛을 보니 기이한 상념을 발동시켜
한 점 한 점 검은 글씨를 쓰니 황당하고 기이한 시구가 나오네.
시가 이루어지자 스스로 한 번 웃네
옛 병이 새우나 게로 생긴 가려운 병을 만났네.

吾窮本坐詩, 久服朋友戒.
五年江湖上, 閉口洗殘債.
今來復稍稍, 快癢如爬疥.
先生不譏訶, 又復寄詩械.
幽光發奇思, 點黮出荒怪.
詩成自一笑, 故疾逢蝦蟹.

— 권25

◎ 주 석 ◎

- 吾窮本坐詩(오궁본좌시) : 나의 궁함은 본래 시에 연루된 것이다. 시 창작으로 죄에 연루되어 유배되었다. 坐(좌) : 연루되다. 때문이다.
- 五年江湖上(오년강호상) : 5년간 황주(黃州)에 유배되었다.
- 詩械(시계) : 시를 쓰는 도구, 여기서는 먹을 가리킨다.

- **幽光發奇思, 黠黮出荒怪**(유광발기사, 점담출황괴) : 검은 먹의 빛을 보니 기이한 상념을 발동시켜, 한 점 한 점 검은 글씨를 쓰니 황당하고 기이한 시구가 나오네. 검은색의 빛을 발하는 먹이 기이한 상념을 일으켜 신선한 시를 쓰게 한다는 의미이다. 黮(담) : 검다.
- **故疾逢蝦蟹**(고질봉하해) : 옛 병이 새우나 게로 생긴 가려운 병을 만났네. 옛사람은 가려운 병이 있는 사람이 새우나 게를 먹으면 옛 병이 재발한다고 여겼다. 여기서는 친구가 먹을 보내주자 시적 감흥이 일어난다는 것을 비유하고 있다.

◎ 해 제 ◎

소동파가 정치적으로 궁하게 된 것은 시를 써서 현실을 풍자했기 때문이다. 5년 동안 황주에 유배되어서는 현실에 관한 시는 짓지 않았다. 요즘 시를 지을 생각이 조금씩 일어난다. 친구가 먹을 보내주니 시적 감흥이 일어나 황당하고 기이한 시구가 나온다.

16. 봄날의 낮

春日

꾸꾸 우는 비둘기와 새끼를 갓 낳은 어미제비는 소리 없이 적막한데
햇빛이 서쪽 창을 쏘아대니 눈이 부시게 밝다.
낮에 취했다가 깨어나니 할 일 하나 없어
다만 봄잠을 가지고 맑은 봄빛 감상하리.

鳴鳩乳燕寂無聲, 日射西窗潑眼明.
午醉醒來無一事, 只將春睡賞春晴.

— 권25

◎ 주 석 ◎

- 乳燕(유연) : 새끼를 젖먹이는 제비. 젖먹이는 새끼 치는 제비. 새끼를 갓 낳은 어미제비.
- 將(장) : 가지고.

◎ 해 제 ◎

낮에 술에 취했다가 깨어나 봄날의 한가로움을 만끽하고 있다.

50세(원풍 8년, 1085년) 정월, 작자는 여주로 부임 도중 남도(南都)에 도착했다. 남도에 도착하고부터 이해 3월 5일까지 상대적으로 편안한 생활을 보냈다. 이 시는 이때의 생활을 기록한 것으로, 시의 기조는 한적하고 평담한데, 담담한 가운데 시적인 맛이 있다. (孔劉)

17. 의흥으로 돌아가는 길에 죽서사에 시를 남기고 3수
歸宜興留題竹西寺 三首

17-1. 其一

10년 동안 전원에 돌아가는 꿈 서풍에 부쳐
이제 가면 정말 농사짓는 노인이 되어야지.
촉강(蜀岡)의 새 우물물 넉넉히 찾아
고향 맛 가지고 강동으로 건너가야지.

十年歸夢寄西風, 此去眞爲田舍翁.
剩覓蜀岡新井水, 要攜鄉味過江東.

\- 권25

◎ 주 석 ◎

- **竹西寺**(죽서사) : 일명(一名) 산광사(山光寺). 양주(揚州)에 있다.
- **西風**(서풍) : 여기서는 서천(西川)으로 돌아가고자 함을 말한다.
- **田舍翁**(전사옹) : 농사짓는 노인. 작자는 상주(常州)에다 땅을 샀으므로 이렇게 불렀다.
- **蜀岡**(촉강) : 우물 이름. 죽서사 산 위에 우물이 있는데, 그 물맛이 촉강(蜀江)과 같아 촉강(蜀岡)이라 불렀다. 전해오는 말에

촉(蜀) 땅과 기맥이 통한다고 한다. 당(唐)의 육우(陸羽)는 "천하제오천(天下第五泉)"이라고 평하였다.

- 鄕味(향미) : 고향 맛. 우물 이름이 촉강(蜀岡)이라 고향 맛이 난다고 했다.
- 江東(강동) : 강의 동쪽. 여기서는 상주(常州)를 말한다.

◎ 해 제 ◎

50세(원풍 8년) 5월, 양주(揚州)를 거쳐 의흥(宜興)으로 돌아갈 때 죽서사(竹西寺)에 제(題)한 시이다. 먼저 동파는 사주(泗州)에 이르러, 상서를 올려 여주(汝州)의 직(職)을 파직하고 의흥에 돌아가 휴양하기를 요청하여 허락을 받았다. 상주(常州) 의흥의 전원으로 돌아가고자 하는 의지를 그리고 있다.

17-3. 其三

나의 인생 이 세상에 도무지 아무 할 일 없는데
올해도 여전히 큰 풍년을 만났네.
산사에서 돌아오니 좋은 소식 들리고
들꽃이 웃고 새도 기뻐 지저귄다.

此身已覺都無事, 今歲仍逢大有年.
山寺歸來聞好語, 野花啼鳥亦欣然.

\- 권25

◎ 주 석 ◎

• 大有年(대유년) : 풍년이 든 해.

◎ 해 제 ◎

이때 신종이 붕어한 지 오래되지 않았는데, 동파는 여주(汝州)의 직(職)을 파하고 의흥(宜興)에 가서 휴양하기로 조서로 허락받아 심정이 유쾌하여 이 시를 지었다. 이 시는 후에 어사(御史)들의 탄핵을 받았다.

동파는 『소식문집(蘇軾文集)』 권33 「주제시찰자(奏題詩札子)」에서, "이 해(원풍 8년) 3월 6일, 남경에서 선제(先帝 : 神宗)의 유조(遺詔 : 죽기 전에 남긴 조서)를 듣고, 죽음을 애도하며, 구불구불 상주(常州)로 갔다. …… 5월 초에, 양주(揚州)의 죽서사(竹西寺)에 가서 백성과 지방 노인들 수십 명이 길가에서 웃으며 말하는 것을 보았는데, 그 가운데 한 사람이 두 손으로 이마에 대면서 말하길, '좋은 소년 황제라고 들었다〔철종이 즉위할 때 겨우 10세였다〕', 그 말이 비록 비속하지만 신(臣)은 실로 백성이 임금의 자식을 구가(謳歌)함이 지성(至誠)에서 나왔다고 기뻐하였다. 또 이때는 신이 상주(常州)에 돌아가 농경에 종사하기로 청하여 허락을 받았으니, 대개 장차 거기서 늙겠다는 것이다. 그리고 회절(淮浙) 사이에 풍년이 들어 이 시를 지었다."라고 하였다.

한편 소철(蘇轍)은 동파의 묘지명(墓誌銘)에서, "공(公 : 동파)이 양주에 이르자, 상주 사람이 공을 위해 밭을 샀다는 편지가 이르자 공은 기뻐하여 시를 지었는데, '좋은 소식이 들린다(聞好語)'의 구절이 있었다."라고 하였다.

三 · 사환후기 仕宦後期

1. 양걸을 보내며
送楊傑, 幷敍

무위자는 일찍이 사신이 되어 태산의 절정에 올라, 닭이 한 번 울 때 일출을 보았다. 또 일찍이 일이 있어 화산을 지났는데, 중양절에 연화봉 위에서 술을 마셨다. 지금 조서를 받들어 고려의 승통(僧統)과 더불어 전당을 유람하였는데, 모두 조정의 일로 방외의 즐거움에 종사하였다. 좋구나, 일찍이 없던 일이다. 이 시를 지어 그를 전송한다.

無爲子嘗奉使登太山絶頂, 雞一鳴, 見日出. 又嘗以事過華山, 重九日飮酒蓮華峯上. 今乃奉詔與高麗僧統游錢塘. 皆以王事, 而從方外之樂, 善哉未曾有也, 作是詩以送之.

태산 정상 천문봉에서 밤에 동쪽에서 떠오르는 해를
손님 예로 맞으니
만리 붉은 물결에 하늘의 절반이 붉다.
돌아와 평지에서 공 같은 태양이 뛰는 것을 보니
한 점의 황금으로 부어낸 가을 귤 같네.

화산의 태화봉에서 중양절을 맞이하니
공중의 바람이 넘치는 국화주에 분다.
호연지기로 달려 요대정을 내려오니
무너진 낭떠러지에서 취하여 춤추며 한 번 손을 휘두른다.

정신이 팔방의 끝에 노니니 만 가지 세속 인연이 텅 비고
아래를 보니 (인간이 와글와글 떠드는 것이) 더러운 도랑에 숨어사는 모기떼의 웅웅 소리와 같다.
대천세계를 한 번 숨 쉬는 사이에 80번이나 돌아왔으니 (세월이 언뜻 지났으니)
빙그레 웃으며 동해를 건너 고래를 탄다.

삼한의 왕자께서 서쪽으로 불법을 구하러 오시니
하늘의 이치를 아는 의천과 사해가 다 아는 양걸은 호적수라.
강을 가로지르는 바람이 급하여 물결은 산처럼 높으니
뱃사공에게 부탁하여 손님을 잘 보살피라고 말하네.

天門夜上賓出日, 萬里紅波半天赤.
歸來平地看跳丸, 一點黃金鑄秋橘.
太華峯頭作重九, 天風吹灩黃花酒.

浩歌馳下腰帶鞓，　醉舞崩崖一揮手.
神遊八極萬緣虛，　下視蚊雷隱汚渠.
大千一息八十返，　笑厲東海騎鯨魚.
三韓王子西求法，　鑿齒彌天兩勍敵.
過江風急浪如山，　寄語舟人好看客.

－ 권26

◎ 주 석 ◎

• 無爲子(무위자) : 양걸(楊傑). 양걸은 자(字)는 차공(次公)으로, 무위(無爲) 사람이다. 무위자(無爲子)로 자호(自號)하였다. 양강공(楊康功)이라고도 한다. 원우(元祐) 연간에 예부원외랑(禮部員外郞)이 되어 윤주지주(潤州知州)로 나가, 양절제점형옥(兩浙提點刑獄)을 제수받았다. 『송사(宋史)』「양걸전」참조. 고려의 국왕이 그의 아우 승통(僧統) 의천(義天)을 송나라로 파견하여 불법(佛法)을 묻기를 구하고, 경(經)과 불상(佛像)을 가지고 왔다. 신종(神宗)은 양걸에게 명하여 승통을 모시고 각지를 유람하도록 했다.(『문헌통고文獻通考』와 『교원유사敎苑遺事』에 보인다)

원(元)의 석(釋) 각안(覺岸)은 『석씨계고략(釋氏稽古略)』 권4에서, "송(宋) 신종(神宗) 원풍 8년 2월에 황제가 붕(崩)하였다. 춘삼월에 철종(哲宗)이 제위(帝位)에 올랐다." "(고려의) 승통 의천은 고려국의 임금 문종의 넷째 아들인데, 출가하여 의천이라고 이름하였다. 이 해 겨울 배를 타고 명주(明州 : 지금의 절강성 영파寧波)에 이르러, 표(表)를 올려 중국을 유람하여 예를 묻고자 했다. 조서를 내려 조봉랑(朝奉郞) 양걸로 하여금 접반

(接伴)하게 했다. 그들이 도착하는 이절(二浙), 회남(淮南), 경동(京東)의 여러 군(郡)에서는 행인(行人)의 예로 맞이하고 전별하였다."라고 했다. 원풍 8년 겨울에 비로소 명주(明州)에 도착하여, 전당(錢塘)을 유람하도록 조서를 내린 것은 마땅히 이 이후의 일이다. 그러나 『속자치통감장편(續資治通鑑長編)』 권35에서는 "원풍 8년 가을 9월 계축(癸丑)에, 고려국(高麗國) 우세승통구법사문석의천(佑世僧統求法沙門釋義天) 등은 수공전(垂拱殿)에서 알현하고, 불상(佛像)과 경문(經文)을 올려 물건을 하사하였는데 차등이 있게 하였다."라고 하였으니, 기록한 시간이 같지 않다.

이 시의 마지막 구로 본다면, 이 시는 원풍 8년(1085) 9월에 동파가 상주(常州)로부터 등주지주(登州知州)로 부임하는 도중에, 초주(楚州 : 지금의 강소성 회안淮安)에서 양걸을 만났을 때에 지어졌다. 『석씨계고략』 권4에서는 또, 후에 "의천이 경사(京師)에 조회하였는데, 예부낭중(禮部郎中) 소식(蘇軾)이 접반(接伴)하였다"고 기록되어 있다.

- **華山**(화산) : 서악(西嶽)이라 불린다. 지금의 섬서성 화음현(華陰縣) 경내(境內)이다.
- **蓮華峯**(연화봉) : 화산 5봉 가운데 연화봉은 중봉(中峯)이다.
- **王事**(왕사) : 조정의 일. 국가의 일.
- **方外之樂**(방외지락) : 세속 밖의 초연하는 즐거움. 方外(방외) : 속세를 떠난 곳. 세상 밖.
- **天門**(천문) : 태산(泰山)의 정상에 있다. 태산에는 소천문(小天門), 대천문(大天門)이 있다.
- **賓**(빈) : 손님의 예로 맞이하다.
- **天門夜上賓出日**(천문야상빈출일) **4구** : 붉은 태양이 뜨기 전에, 다만 반쪽 하늘에 붉은 빛만 보이고, 처음 뜬 태양을 보니 탄환이나 가을 귤과 같다는 것을 말하고 있다.

- **歸來**(귀래) : 천문(天門)에서 내려와.
- **太華**(태화) : 화산(華山).
- **腰帶鞓**(요대정) : 화산(華山)의 지명. 연화봉(蓮華峯)에 있다.
- **神遊八極萬緣虛**(신유팔극만연허) **4구** : 양걸의 광달(曠達)하고 호매(豪邁)함을 묘사하고 있다. 八極(팔극) : 팔방의 매우 먼 땅.
- **神遊八極萬緣虛, 下視蚊雷隱汚渠**(신유팔극만연허, 하시문뢰은오거) : 양걸이 태화봉의 정상에서 정신이 팔방을 노니니, 이미 만사가 텅 빈 것을 깨달았고, 아래의 세계를 보니, 마치 모기가 더러운 도랑에서 웅웅거리는 것과 같다. 汚渠(오거) : 더러운 도랑. 여기서는 혼탁한 세상을 비유한다.
- **蚊雷**(문뢰) : 많은 모기가 나는 소리가 마치 천둥과도 같다.
- **大千一息八十返**(대천일식팔십반) : 정신이 노니는 것이 아주 빨라 잠깐 사이에 대천세계를 80번이나 간다는 의미이다. 大千(대천) : 대천세계. 광대무변(廣大無邊)의 세계. 一息(일식) : 한 번 호흡하다.
- **厲**(여) : 깊은 물을 건너 지나가다.
- **三韓**(삼한) : 마한(馬韓) · 진한(辰韓) · 변한(弁韓), 곧 고려(高麗)를 가리킨다. 『삼국사기(三國史記)』「최치원열전(崔致遠列傳)」에 따르면, 최치원은 당(唐) 태사시중(太師侍中)에게 편지를 보내, "동해 밖에 세 나라 마한 · 변한 · 진한이 있는데, 마한은 고구려요, 변한은 백제이며, 진한은 신라이다. 고구려와 백제의 전성기에는 강병(强兵)이 백만이나 되어, 남으로 오월(吳越)을 침략하고, 북으로 유연(幽燕), 제로(齊魯)를 위협해 중국의 큰 해독이 되었다."고 했다. 『요사(遼史)』「지리지(地理志) 삼한(三韓)」 - "진한은 부여이고, 변한은 신라이며, 마한은 고구려다." 이상 이덕일, 『이덕일의 고금통의(古今通義) 1』(김영사, 2014), 440-441쪽 인용. 이상의 설은 우리가 역사시간

에 배운 설과는 차이가 있어 추후 연구해 볼 만한 가치가 있다.

- **鑿齒彌天兩勍敵**(착치미천양경적) : 착치(鑿齒)와 미천(彌天)은 두 호적수라. 곧 사해(四海)가 다 아는 착치[양걸을 지칭]와 하늘의 이치를 아는 미천(석釋 도안道安, 여기서는 의천義天을 지칭)이라고 하여, 그들이 호적수임을 표현하였다.
  『진서(晉書)』 「습착치전(習鑿齒傳)」 - "(진晉나라) 당시 스님에 석(釋) 도안(道安)이 있어, 준수하고 언변이 좋으며 높은 재주가 있었다. 북쪽으로부터 형주(荊州)로 와, 착치와 처음 만났다. 도안이 말하길, '하늘에 꽉 찬[하늘의 이치를 아는] 석(釋) 도안이라(彌天釋道安)'하고 착치가 말하길, '사해(四海)가 다 아는 습착치라(四海習鑿齒)'라고 하였다. 당시 사람들은 좋은 대구라고 여겼다."
  습착치는 진(晉) 양양(襄陽) 사람으로 문학으로 일컬어졌으며, 당시 유교와 제자백가에 능통한 인물인데, 여기서는 양걸을 비유하고 있다. 미천(彌天)은 진(晉)나라의 고승인 석(釋) 도안인데, 여기서는 의천을 비유하였다.
  13, 14 두 구는 양걸이 의천에게 올린 시에, "나의 수행이 부족하여 미천을 모시기에 부끄럽고, 재주는 습착치만 못하다(我愧陪彌天, 才辯非鑿齒)"라는 것을 활용한 것이다. 동파는 의천을 석(釋) 도안으로, 양걸을 습착치로 비기어 양인이 막상막하임을 추켜세웠다. 이것은 양걸이 자신이 습착치만 못해서 석 도안 같은 의천을 모시기에 부족하다는 겸양에 대해 양걸을 높이기 위한 표현이었다. 그러나 그가 의천을 높이 평가한 양걸의 자세를 그대로 받아들였다는 것만은 틀림없다.
- **過江風急浪如山, 寄語舟人好看客**(과강풍급랑여산, 기어주인호간객) : 강을 가로지르는 바람이 급하여 물결은 산처럼 높으니, 뱃사공에게 부탁하여 손님을 잘 보살피라고 말하네. 소동파는

양걸과 회수(淮水) 가에서 만나, 그가 남쪽으로 가는 것을 전송하였기 때문에, 반드시 강 양안의 사람들이 앙모(仰慕)하여 나와서 보는 것을 찬미하고 있다. 바람이 세고 파도가 크니, 조심해야 한다는 것이다.

◎ 해 제 ◎

50세(원풍 8년, 1085년)에 지었다. 앞의 4구는 태산에서의 일출을 묘사하였으며, 5-8구는 화산의 연화봉에서 술 마심을 묘사하였다. 9-12구는 양걸의 가슴이 넓음을 묘사하였고, 마지막 4구는 고려의 승통 의천과 전당을 유람하였음을 묘사하고 있다. 장법(章法)이 분명하고 필력이 기이하다. (吳夏蕭)

50세(원풍 8년, 1085년) 가을, 소동파는 등주지주(登州知州) 부임 도중에 조서를 받들고 항주로 부임하여 고려 승통(僧統 : 의천)을 접반(接伴)하러 가는 양걸과 만나 이 시를 지었다. 이 시는 소동파의 호방한 시풍의 대표작이라고 부를 만하다. (孔劉)

2. 양강공에게 돌이 있는데, 그 모양이 술 취한 도사와 같아서, 이 시를 짓다
楊康功有石, 狀如醉道士, 爲賦此詩

초 지방 산에는 본래 원숭이가 많은데
푸른 원숭이 놈은 꾀가 많고 또 오래 산다오.
그놈이 미친 도사로 둔갑하여
산골짜기를 제멋대로 뛰어다녔다네.

신선이 산다는 화양동으로 잘못 들어가
신선 모군의 신선주를 훔쳐 마셨다네.
모군은 그 원숭이 놈을 바위 사이에 가두었으니
바위가 바로 형틀이 되었다네.

소나무 뿌리가 그의 발을 묶고
등나무 덩굴이 그놈의 팔을 얽어매었네.
푸른 이끼가 그의 눈을 가리고
가시덤불이 그의 입을 막았네.

3년 만에 돌로 변하였는데
그 돌은 단단하고 마르기가 옥돌에 필적하네.
다시는 구름을 보고 울부짖는 소리가 없어지고

한갓 술잔 들고 춤추던 손만 남았다네.

나무꾼이 그 술 취한 도사 모양의 돌을 보고 웃으면서
가져다가 곡식 몇 말을 받고 팔았다네.

양공(楊公) 그대는 바다 가운데 신선이니
세속에서 어찌 벗할 수 있으리오.
바닷가에서 고야(姑射) 신선을 만나
한 번 웃고 살며시 머리 숙이네.

어찌 신선을 실어 데리고 오지 않고
이렇게 울퉁불퉁하고 추한 돌을 가져왔나요.

시를 지어 기이한 이 일을 기록하라는 부탁에
그 경위를 세세히 파헤쳤네.

내 말이 어찌 망령되었다고 하리
이 모두 이 세상에 없는 노인[무시수亡是叟]에게서
들었다네.

楚山固多猿, 青者黠而壽.
化爲狂道士, 山谷恣騰蹂.
誤入華陽洞, 竊飲茅君酒.

君命囚巖間，　巖石爲械杻．
松根絡其足，　藤蔓縛其肘．
蒼苔眯其目，　叢棘哽其口．
三年化爲石，　堅瘦敵瓊玖．
無復號雲聲，　空餘舞杯手．
樵夫見之笑，　抱賣易升斗．
楊公海中仙，　世俗那得友．
海邊逢姑射，　一笑微俯首．
胡不載之歸，　用此頑且醜．
求詩紀其異，　本末得細剖．
吾言豈妄云，　得之亡是叟．

- 권26

◎ 주석 ◎

- 楊康功(양강공) : 일설에, 이름은 경략(景略)으로, 화음(華陰) 사람이라 한다. 바로 앞 시 「송양걸(送楊傑)」에서도 나온 양걸이다.
- 黠(힐) : 꾀가 많다.
- 華陽洞(화양동) : 구곡산(句曲山)에 있는데, 옛날에 제팔동천(第八洞天)이라고 불렸다. 신선 대모군(大茅君)이 사는 곳이다.
- 空餘舞杯手(공여무배수) : 원숭이가 돌로 변한 후에도 여전히 손발로 춤추는 모습이다.
- 楊公海中仙(양공해중선) : 사주(查注) - "양강공은 일찍이 고려

에 사신으로 갔기 때문에, 바다 가운데 신선이라고 칭해진다(楊康功曾使高麗, 故稱爲海中仙)."

• **姑射**(고야) : 신화 가운데의 선녀. 『장자(莊子)』 「소요유(逍遙遊)」 - "막고야의 산에 신인(神人)이 살고 있는데, 피부는 빙설처럼 희고 몸매가 부드러운 것은 처녀처럼 사랑스럽다. 곡식은 일체 먹지 않고 바람을 들이키고 이슬을 마시고서 구름 기운을 타고 나는 용을 몰아 사해 밖에 노닌다(藐姑射之山, 有神人居焉, 肌膚若氷雪, 綽約若處子. 不食五穀, 吸風飮露. 乘雲氣, 御飛龍, 而遊乎四海之外)."

• **吾言豈妄云, 得之亡是叟**(오언기망운, 득지무시수) : 희롱어로서, 이 모두는 꾸며낸 이야기라는 의미이다. 亡是叟(무시수) : 사마상여(司馬相如)의 「자허부(子虛賦)」에 "무시공(亡是公)"이 있는데, '이러한 사람은 없다'는 뜻이다.

◎ 해 제 ◎

동파는 시문 가운데서 자주 골계(滑稽)를 발휘하였다. 이 시는 술 취한 도사 모양의 돌을 묘사하였는데, 전체가 꾸며낸 이야기로, 장자(莊子)의 우언정신을 계승하고 있다. 『소식문집(蘇軾文集)』 「여양강공서(與楊康功書)」에, "이틀이나 큰 바람이 불어 외로운 배는 눈 파도처럼 춤을 추는 가운데, 양차공이 빚은 술 한 병을 선물해 주었기에, 취한 가운데 공(公)과 함께 「술 취한 도사 모양의 돌」이라는 시를 지어, 초수(楚守)에 의탁해 부쳤다(兩日大風, 孤舟掀舞雪浪中, 楊次公惠醞一壺, 醉中與公作醉道士石詩, 托楚守寄去)."고 하였다. 양차공은 바로 양걸이다. 이 시와 앞 시는 모두 회사(淮泗)로부터 상주(常州)로 가는 도중에 지었다. (吳夏蕭)

3. 등주의 신기루
登州海市, 幷敍

내가 등주의 바다 신기루에 대해서 들은 지 오래다. 이 지방 노인들이 말하기를, '일찍이 항상 봄과 여름에 신기루가 나타나는데, 올해는 해가 늦어 다시 보지 못한다'고 하였다. 내가 등주지주로 부임한 지 닷새 만에 떠나게 되어 신기루를 보지 못할까봐 심히 유감이었다. 그리하여 동해의 용왕 광덕왕의 사당에 기도하니, 그 이튿날 신기루를 보게 되었다. 이에 이 시를 짓는다.

予聞登州海市舊矣. 父老云, 嘗出於春夏, 今歲晩不復見矣. 予到官五日而去, 以不見爲恨, 禱於海神廣德王之廟, 明日見焉, 乃作此詩.

동녘의 구름바다는 텅 비고 또 텅 비었는데
여러 신선이 훤한 공중에 출몰하네.
출렁출렁 파도 위 뜬 세상에 만상이 생겨나니
어찌 조개 대궐과 보배 궁궐이 있으리오?

내 마음으론 눈에 보이는 것이 모두 환영(幻影)임을

알아
  감히 내 이목으로 조화옹의 솜씨를 번거롭게 헤아린다.
  초겨울이라 바닷물은 차갑고 천지 기운이 막히었건만
  나를 위해 동면하고 있는 어룡(魚龍)을 일으켜 채찍질한다.

  층층누각과 푸른 언덕[신기루]이 서리 새벽에 나타나니
  기이한 일인지라 이 고장의 백세 된 노인도 놀라 자빠진다.

  인간세상에서 얻는 것은 힘으로 취할 수 있다지만
  세상 밖에는 아무 물건 없으니 잘난 사람이 어디 있으리오?

  나의 갑작스런 요청에도 조화옹께서 거절하지 아니하시니
  진실로 과거의 나의 재난은 사람이 만든 것이지 하늘이 궁하게 한 것은 아니로다.
  옛날 한유(韓愈)가 남쪽 귀양에서 돌아오는 길에 형산(衡山)이 맑아져
  석름봉(石廩峰)과 축융봉(祝融峰)이 나타난 현상을 보고 즐거워했다지.

그는 정직함은 산신(山神)도 감동시킨다고 말했었지.
어찌 알리오? 조물주가 궁한 사람 가엾게 여긴 것임을.

눈썹 펴고 한 번 시원히 웃는 웃음 어찌 쉽사리 얻으리오?
신이 나에게 보답해 주시어 이런 가경(佳景)을 나타냈구나.

황혼빛 만리에 외로이 날던 새가 사라져 버리니
푸른 바다엔 구리거울을 깨끗이 닦은 듯 펴런 것만 보인다.
새 시를 지어 비단 같은 말로 멋들어지게 묘사해도 무슨 소용 있으리?
모두 다 동풍 따라 사라져 버리는 것을!

東方雲海空復空, 群仙出沒空明中.
蕩搖浮世生萬象, 豈有貝闕藏珠宮.
心知所見皆幻影, 敢以耳目煩神工.
歲寒水冷天地閉, 爲我起蟄鞭魚龍.
重樓翠阜出霜曉, 異事驚倒百歲翁.
人間所得容力取, 世外無物誰爲雄.
率然有請不我拒, 信我人厄非天窮.

潮陽太守南遷歸，喜見石廩堆祝融.
自言正直動山鬼，豈知造物哀龍鍾.
伸眉一笑豈易得，神之報汝亦已豊.
斜陽萬里孤鳥沒，但見碧海磨青銅.
新詩綺語亦安用，相與變滅隨東風.

– 권26

◎ 주 석 ◎

- **登州**(등주) : 지금의 산동성 봉래현(蓬萊縣).
- **海市**(해시) : 신기루.
- **廣德王**(광덕왕) : 동해 용왕.
- **貝闕, 珠宮**(패궐, 주궁) : 상상 속의 해신(海神)이 사는 궁전.
- **神工**(신공) : 어떤 판본에는, "신공(神功)".
- **異事**(이사) : 일반적으로 신기루는 봄, 여름에 나타나는데, 이번에는 세모에 나타난 사실을 말한다.
- **率然**(솔연) : 갑자기. 돌연.
- **潮陽太守南遷歸, 喜見石廩堆祝融**(조양태수남천귀, 희견석름퇴축융) : 한유(韓愈)는 황제가 불골(佛骨)을 맞이하는 것을 반대하여 조주자사(潮州刺史)로 폄적(貶謫)되었다가 후에 소환되었다. 그는 영정(永貞) 원년 가을에 양산령(陽山令)으로부터 강릉(江陵)으로 관직을 옮기다가, 일찍이 형산(衡山)을 노닐며 묵묵히 신령에게 기도하였더니 날씨가 맑아지고 봉우리를 볼 수 있었다. 석름(石廩), 축융(祝融)은 형산의 봉우리 이름.
- **自言正直動山鬼**(자언정직동산귀) : 전설에 성현(聖賢)이 와 노닐면 형산의 운무(雲霧)는 걷힌다고 한다. 한유가 임금에게 상

소를 올렸다가 임금의 노함과 반대파의 배척을 받아 양산령(陽山令)으로 폄적되었다. 그 후에 소환(召還)되어 북상(北上)하는 도중에 형산을 지나다가, 나쁘던 날씨가 갑자기 좋아졌다. 이러한 자연적 현상에 감동하여 한유는 자신의 정신이 하늘을 감동시켜 순식간에 봉우리들을 볼 수 있었다고 생각하고 「형악묘를 배알하고 드디어 산의 절에서 자며, 문루에 제하다(謁衡嶽廟, 遂宿嶽寺, 題門樓)」 시를 지었다(영정 원년, 가을)는 고사(故事)이다. 여기서 동파는 한유가 조주자사(潮州刺史)로 폄적되었다가 북쪽으로 귀환하는 길에 형산을 지나면서 지었던 시(원화元和 15년)라고 오인(誤認)하고 있음을 알 수 있다.

- **豈知造物哀龍鍾**(기지조물애용종) : 동파는 '어찌 한유가 신령을 감동시켰겠는가, 단지 조물주가 그가 연로하여 그로 하여금 형산의 여러 봉우리를 보게 했지'라고 여기고 있다. 작자는 또한 이로써 자신을 비유하고 있다. 龍鍾(용종) : 늙고 병든 모양.
- **青銅**(청동) : 청동 거울.
- **綺語**(기어) : 비단 같은 말. 아름답게 꾸민 문장.

◎ 해 제 ◎

50세(원풍 8년, 1085년) 겨울, 동파가 등주지주(登州知州)로 부임하여 봉래각(蓬萊閣)에서 본 바다의 신기루(蜃氣樓)를 보고 느낀 감회를 표현한 시이다.

해시(海市), 즉 바다 신기루는 광선이 밀도가 다른 공기층을 통과할 때 굴절하여, 먼 곳의 경치를 공중이나 지면에 비추어 나타나는 현상이다. 작자는 경치, 의론, 상상, 환상적인 분위기를 통해 신기루의 「무(無)—유(有)—무(無)」의 변화상태를 핍진하게 묘사하고 있다. 여기서 앞의 「무(無)」와 뒤의 「무(無)」의 실제 내용은 같지 않다. 표면적으로는 같더라도 어떤 일을 경험하기 전과 경험한 후의 마음상태는 다르기 때문이다.

환언하면 전체적으로 작자는 ①이성적 사유에 의한 신기루의 부정 단계와 ②실제로 나타난 신기루에 대한 긍정 단계, 끝으로 ③이 신기루가 모두 동풍을 따라 「무(無)」로 사라짐의 단계 등을 묘사하고 있다. 동시에 경(景)과 이(理), 정(情)이 조응되고 있다.

1-6구에서는 이지적이고 이성적인 필치로 바닷가에서 바라본 바다에 만상이 생겨나는 경치를 호기심을 가지고 묘사하고 있다. 7-20구에서는 기이한 신기루의 현상을 직접 보고 놀라는 이 고장 노인의 모습과, 그로부터 감흥된 자아의 형상을 한유(韓愈)의 옛 일을 빌어 묘사하고 있다. 곧 당(唐)나라 때의 한유의 고사와 이번의 자신의 예를 통해 인간과 자연의 조응관계를 부각시키고 있다.

신기루가 나타나는 장면은 이 시의 최고조라 할 수 있다. 그리고 신기루를 보게 해 달라는 갑작스런 자신의 기도에 조화옹이 허락한 사실로 본다면, '오대시안(烏臺詩案)'에 걸려 투옥되었다가 풀려나 4년 남짓 황주 폄적기(黃州貶謫期)를 보냈던 이전의 자신의 재난이 모두 하늘이 궁하게 한 것이 아니라고 여기고 있다. 21구-끝구에서는 순간적인 신기루 현상이 모두 사라지고 바다에는 아무것도 없는 일상적인 현실로 회귀하고 있다.

이 시는 작자의 수서각석(手書刻石)이 지금도 단애산(丹崖山) 봉래각(蓬萊閣) 위에 남아있다. 역자는 2007년 겨울, 가족과 함께 봉래각을 답사하였다.

4. 혜숭의 ‘봄강의 저녁풍경’ 그림 2수
惠崇春江晚景 二首

4-1. 其一

대숲 밖에 복사꽃 두세 가지 피어나고
봄 강물 따뜻해짐을 오리가 먼저 아는구나.
온 땅에 쑥 가득하고 갈대의 움 자그맣게 돋을 때
바로 복어가 강물 따라 오르고자 할 때다.

竹外桃花三兩枝, 春江水暖鴨先知.
蔞蒿滿地蘆芽短, 正是河豚欲上時.

– 권26

◎ 주 석 ◎

- **惠崇**(혜숭) : 북송(北宋) 초의 스님으로, 시화(詩畵)에 능하였다. 구양수(歐陽修)는 그를 송초(宋初) “구승(九僧)”의 한 사람으로 지목하였다.
- **晚景**(만경) : 어떤 판본에는, “효경(曉景)”.
- **春江水暖鴨先知**(춘강수난압선지) : 봄 강물 따뜻해짐을 오리가 먼저 아는구나. 오리가 ‘둥둥 떠다니며 잘 논다’라는 의미가 내포되어 있다.

- **蔞蒿**(누호) : 물쑥. 일종의 수초(水草). 복어의 먹이이자, 물고기 죽의 조미료이다. 해독작용이 있다.
- **正是河豚欲上時**(정시하돈욕상시) : 이때가 바로 복어가 바다로부터 물을 거슬러 강물로 들어오는 이른 봄이다. 河豚(하돈) : 복어. 맛이 신선하고 좋으며 독이 있는 물고기. 4, 5월 사이에 산란(産卵)한다. 이 시기에 난소(卵巢)와 간장(肝臟)에 극독(劇毒)이 있어 잘못 먹으면 목숨이 위험하다. 『본초강목(本草綱目)』 - "복어는 마땅히 물쑥과 갈대순과 같이 삶는다(河豚宜與蔞蒿荻筍同煮)."

◎ **해 제** ◎

50세(원풍 8년, 1085년)에 변경(汴京)에서 지었다. 이는 내용으로 보면, 혜숭이 그린 "오리가 노니는 그림(압희도鴨戲圖)"에 대한 제화시(題畫詩)이다. 동파는 묘한 붓을 몇 번 놀려 생동감 있게 한 폭의 생기발랄한 2월의 봄 풍경을 묘사해 내고 있다. 더욱이 "봄 강물 따뜻해짐을 오리가 먼저 아는구나" 구는 그림의 모습과 맞아떨어져, 봄을 전달하고 있다. 이는 실제로 봄에 대한 작자의 예찬이다. (王王)

4-2. 其二

짝지어 날아 돌아가는 기러기가 무리를 깨니
어슴푸레 또한 북쪽으로 돌아가는 사람과 같구나.
아득히 헤아리건대 북쪽 사막에 바람과 눈 많으니
다시 강남 반달의 봄을 기다린다.

兩兩歸鴻欲破羣，　依依還似北歸人.
遙知朔漠多風雪，　更待江南半月春.

\- 권26

◎ 주 석 ◎

• **依依**(의의) : 서로 그리워하다. 서로 생각하다. 어슴푸레.

◎ 해 제 ◎

이 두 짧은 시로 보면, 혜숭이 그린 춘강만경(春江晩景)은 두 폭의 그림임을 알 수 있다. 하나는 '오리가 노니는 그림(압희도鴨戱圖)' 이고, 또 하나는 '나는 기러기 그림(비안도飛雁圖)'인데, 시 가운데 그림이 있고, 그림 가운데 시가 있다. (吳夏蕭)

5. 나는 지난해 봄과 여름에 이영각에 시립하였고, 가을과 겨울 즈음에는, 자유가 이어서 입시(入侍)하였다. 절구 4수에 차운하여, 각기 마음에 품은 바를 술회하였다, 其四

軾以去歲春夏, 侍立邇英, 而秋冬之交, 子由相繼入侍, 次韻絶句四首, 各述所懷, 其四

미천한 인생 우연히 풍파의 땅을 벗어나니
만년에 오히려 철석(鐵石) 같은 마음 존재하네.
정녕 향산거사(香山居士) 백거이(白居易)와 같이
세상 인연 마침내 얕아도 도의 뿌리는 깊구나.

微生偶脫風波地, 晩歲猶存鐵石心.
定似香山老居士, 世緣終淺道根深.

– 권28

주 석

• **邇英**(이영) : 이영각(邇英閣). 숭정전(崇政殿)의 서남쪽에 있는

데, 대개 시신(侍臣)이 독강(讀講)하는 곳이다.

- **風波地**(풍파지) : 풍파의 땅. 유배의 땅.
- **定似香山老居士**(정사향산노거사) : 정녕 향산거사(香山居士) 백거이(白居易)와 같이. 향산사(香山寺)는 낙양(洛陽)의 용문(龍門)에 있다. 백낙천(白樂天 : 백거이)은 만년에 향산거사로 자칭하며, 유교로서 그 몸을 꾸미고, 불교로서 그 마음을 다스리고, 도교로서 그 수(壽)를 길렀다.

◎ 해 제 ◎

52세(원우元祐 2년, 1087년)에 변경(汴京)에서 지었다. 동파는 고초를 겪었던 폄적지(貶謫地)를 벗어나니 내면세계는 고통에 의해 더욱 철석같이 강인해 졌다고 하였다. 더불어 자신이 백거이처럼 세상의 인연은 적고 도의 뿌리는 깊다고 자평(自評)하고 있다. 이처럼 그는 백거이(白居易)에게 자신을 비교하고 그와 동일화하였다. 이 시의 3구에서 동파는 스스로 다음과 같은 주(注)를 달아 그것을 구체적으로 설명하고 있다.

"백낙천(白樂天 : 백거이)은 강주사마(江州司馬)로부터 충주자사(忠州刺史)에 제수되고 얼마 뒤에는 주객낭중(主客郎中) 지제고(知制誥)가 되었으며, 마침내 중서사인(中書舍人)에 배수되었다. 나는 비록 자신을 감히 그에게 비할 수가 없겠지만, 황주에서 폄적생활을 하다가 다시 기용되어 등주지주(登州知州)가 되고, 조정으로 소환되어 예부낭중(禮部郎中)이 되었으며, 마침내 과분하게도 중서사인(中書舍人)이 되었으니, 그 출사와 은퇴〔폄적되거나 지방관으로 나아가거나 조정에 머무는 일〕와 그때의 나이가 대략 서로 비슷하다. 바라건대 이분이 만년에 누렸던 한적의 즐거움을 다시금 누리고 싶다.(樂天自江州司馬, 除忠州刺史, 旋以主客郎中知制誥,

遂拜中書舍人. 軾雖不敢自比, 然謫居黃州, 起知文登, 召爲儀曹, 遂忝侍從, 出處老少, 大略相似, 庶幾復享此翁晩節閑適之樂焉.)" 儀曹(의조) : 예부(禮部). 晩節(만절) : 만년.

여기서 동파는 백거이와 자신의 출사와 은퇴의 행적 및 그때의 나이가 공통점을 지니고 있음을 밝히고, 백거이가 만년에 누렸던 한적함을 자신도 다시 누리고자 희망하고 있다.

6. 조보지가 소장한 '여가의 대나무 그림' 3수

書晁補之所藏與可畫竹 三首

6-1. 其一

여가가 대나무를 그릴 때
대나무만 보고 사람을 보지 않는다.
어찌 사람만을 보지 않으리?
멍하니 자신의 존재조차 잊어버렸다.

그 몸이 대나무와 함께 동화되어
청신함이 무궁하게 솟아나온다.
이제 장주(莊周)가 세상에 없으니
누가 이러한 정신집중의 경지를 알리요.

與可畫竹時, 見竹不見人.
豈獨不見人, 嗒然遺其身.
其身與竹化, 無窮出清新.
莊周世無有, 誰知此疑神.

\- 권29

◎ 주 석 ◎

- **晁補之**(조보지) : 자는 무구(无咎), 제주(濟州) 거야(鉅野) 사람. '소문사학사(蘇門四學士)'의 한 사람. 동파가 항주통판으로 있을 때, 조보지는 부친을 따라 그곳에 있었는데, 당시 나이가 17세였으며, 「칠술(七述)」을 지어 전당(錢塘)의 산수와 풍정의 아름다움을 묘사하였다. 동파는 그것을 칭찬하여 자신은 붓을 놓겠다고 하기까지 했다. 『계륵집(鷄肋集)』이 있다.
- **與可**(여가) : 이름은 문동(文同). 자(字)가 여가(與可)로, 북송의 저명한 화가이다. 대나무를 잘 그려 '문호주죽파(文湖州竹派)'를 창립하였다. 그는 동파의 종표형(從表兄 : 사촌형)이며 친구이다.
- **嗒然**(탑연) : 몰두하는 모양. 자신을 잊고 멍한 상태에 있는 모양. 아무 생각 없이 우두커니. 대상과 자아를 모두 잊은 경지. 『장자(莊子)』 「제물론(齊物論)」 - "남곽자기는 책상에 기대어 앉아 있다가, 하늘을 우러러 숨을 쉬며 멍하니 몸을 잊은 듯했다(南郭子綦隱机而坐, 仰天而噓, 荅焉似喪其耦)."
- **莊周**(장주) : 장자(莊子).
- **疑神**(의신) : '의(疑)'는 '응(凝)'이라고도 한다. 여기서 '의신(疑神)'[응신凝神]은 사상이 고도로 집중되어 물아상망(物我相忘)의 상태라는 뜻이다. 『장자』 「달생(達生)」에 "뜻을 분산시키지 않으면 정신이 집중된다(用志不分, 乃疑於神)"라는 말이 있는데, 이와 같은 의미이다.

◎ 해 제 ◎

52세(원우元祐 2년, 1087년) 가을에 변경(汴京)에서 지었다. 이는 문동(文同)의 대나무 그림에서 발원하여, 문동의 정신집중 상태와 그로 인한 그림의 의경(意境)에 대해 쓴 제화시이다. 여기서 의

경은 작자의 주관정의(主觀情意)와 객관물경(客觀物境)이 상호융합되어 형성된 예술경계(境界)를 의미한다.

이 시에서 문동이 대나무를 그릴 때 대상을 관찰함에 고도의 집중력으로 망아(忘我)의 경지에 이르러 완전히 자신이 대나무로 화할 정도임을 밝히고 있다. 곧 이는 마음을 텅 비움으로써 더욱 효과적으로 대상의 핵심을 파악하는 정신집중〔凝神〕의 경지이다.

이러한 문동의 대나무 그림에 대한 경지는 동파의 「문여가가 그린 운당곡의 바람에 기운 대나무(文與可畫篔簹谷偃竹記)」에서의,

"대나무를 그리려는 사람은 먼저 마음속에 대의 완전한 형상과 신운(神韻)을 구체화시켜야 하며, 붓을 들고 실물을 응시하여 그리려는 대상을 보고서는, 급히 손을 놀려 붓을 휘둘러서 곧장 자기가 본 바를 좇아 묘사하여야 한다(畫竹必先得成竹於胸中, 執筆熟視, 乃見其所欲畫者, 急起從之, 振筆直遂, 以追其所見)."

라는 '성죽재흉(成竹在胸)' 이론(가슴속에 대를 완성하는 것, 곧 가슴속에 대나무의 완전한 형상과 신운神韻을 구체화시킨다는 것)과 상호 연계되고 있다.

이렇듯 문동은 대상의 의미를 포착하여 자기화하는 데 전력을 기울였다. 그와 동시에 자신이 그린 이미지에 내재하는 정신을 불러일으켜 자신의 정신과 조화를 이루고자 하였다. 이것은 동파 자신의 회화에도 통용되는 말이다.

이처럼 동파는 문동의 대나무 그림을 예로 들어, 대상과 자아가 혼연일체가 된 그림에는 청신한 의경(意境)이 무궁하게 나옴을 중시하고 있다.

6-2. 其二

그 사람[문여가]이 지금 세상에 이미 없으니
이 대나무가 어찌 다시 있으리?
어찌 봄 지렁이같이 구불구불한 붓을 가지고
바람에 살랑대는 버들을 그리리.

그대 보았는가, 끊어질 듯한 절벽에
마른 대나무 마디가 교룡이나 뱀처럼 쭉 달아나는 것을.
어느 때나 이 서리 맞은 대나무 줄기가
다시 강호의 낚시꾼 손에 들어갈까.

若人今已無, 此竹寧復有.
那將春蚓筆, 畫作風中柳.
君看斷崖上, 瘦節蛟蛇走.
何時此霜竿, 復入江湖手.

\- 권29

◎ 주 석 ◎

- 若人(약인) : 그 사람. 문동(文同)을 가리킨다. 문동은 이미 원풍 2년에 세상을 떠났다.
- 那(나) : 어찌.
- 春蚓筆(춘인필) : 봄에 지렁이 같은 구불구불한 붓을 가지고.

질이 낮은 붓이나 서화의 필법이 졸렬함을 비유한다.
• 江湖手(강호수) : 강호에서 낚시질하는 어부. 강호의 낚시꾼.

◎ 해 제 ◎

이 그림은 남아 있으나 이 그림의 작자 문동(文同 : 문여가文與可)은 이미 죽었기에 이러한 대나무는 다시 그릴 수 없게 되었다. 3-6구에서는 절벽 위에서 교룡이 달리듯 살아 움직이는 생동적인 문동의 대나무 그림을 묘사하고 있다. 7, 8구에서는 "어느 때나 이 서리 맞은 대나무 줄기가, 다시 강호의 낚시꾼 손에 들어갈까?"라는 가정법을 씀으로써 그림 속 대나무의 살아 있는 듯한 생동적인 모습을 부각시키고 있다.
여기에는 대나무를 통해 낚시질이 연상되고, 그로 인해 낚시를 드리우며. 강호에 은거하고 싶은 동파의 마음도 드러나 있다.

7. 이세남이 그린 '가을 경치' 2수
書李世南所畫秋景 二首

7-1. 其一

들의 흘러가는 물에 여기저기 물이 불었다 줄어든 흔적
성긴 숲이 물가로 엎어져 누워 서리 맞은 흰 뿌리 드러났다.
조각배 하나 노 저어 어디로 돌아갈까나
집은 강남의 노란 단풍 있는 마을에 있다네.

野水參差落漲痕, 疎林攲倒出霜根.
扁舟一櫂歸何處, 家在江南黃葉村.

— 권29

◎ 주 석 ◎

- 書(서) : 쓰다.
- 李世南(이세남) : 자(字)는 당신(唐臣), 안숙(安肅) 사람. 명경과(明經科)에 급제하고, 대리시승(大理寺丞)을 역임했다. 산수화에 뛰어났다.
- 參差(참치) : 들쭉날쭉. 얼기설기.
- 疎林攲倒出霜根(소림기도출상근) : 성근 숲이 물가로 엎어져 누

워 서리 맞은 허연 뿌리가 드러났다. 攲(기) : 기울다.

• **扁舟**(편주) : 작은 배. 조각배.

7-2. 其二

인간세상의 도끼로 날마다 나무를 베어내는데
누가 용과 뱀 같은 백 척 길이 고목의 자태를 보겠는가.
시내와 산에 홀로 가지 않으면
누가 원숭이가 매달린 가지를 그릴 줄을 알겠는가?

人間斤斧日創夷, 誰見龍蛇百尺姿.
不是溪山成獨往, 何人解作挂猿枝.

\- 권29

◎ 주 석 ◎

• **創夷**(창이) : 베다. 創(창) : 베다. 夷(이) : 깎다.

◎ 해 제 ◎

52세(원우元祐 2년, 1087년), 한림학사(翰林學士) 재직 때에 지었다. 당시 이세남(李世南)은 변경(汴京)에서 「원우칙령식(元祐勅令式)」의 편찬작업에 참여하고 있었다. 이는 이세남이 그린 '가을 경치'에 대한 제화시이다.

8. 언릉의 왕주부가 그린 '절지화' 2수
書鄢陵王主簿所畫折枝 二首

8-1. 其一

그림을 논하는데 형체의 모습과 같기를 주장한다면
그 소견은 어린아이들처럼 유치한 것.
시를 짓는데 반드시 이 시라야 한다고 주장한다면
반드시 시를 아는 사람이 아니리라.

시와 그림은 본래 이치가 같은 것
천공(天工)하고 청신(淸新)해야 하네.
변란의 참새 그림은 생동하고 있고
조창의 꽃 그림은 살아있듯 핍진하네.

어이하여 이 두 폭의 그림은
성기고 담박하면서도 정신을 머금었나.
누가 말했던가, 한 점 붉은 꽃으로
가없는 봄빛을 기탁할 줄 안다고.

論畫以形似，　見與兒童鄰.
賦詩必此詩，　定非知詩人.
詩畫本一律，　天工與淸新.
邊鸞雀寫生，　趙昌花傳神.
何如此兩幅，　疎澹含精勻.
誰言一點紅，　解寄無邊春.

— 권29

◎ 주 석 ◎

- **書**(서) : 쓰다.
- **鄢陵王主簿**(언릉왕주부) : 언릉 땅 왕주부. 그 이름은 명확하지 않다. 꽃과 새 그림에 뛰어났다. 언릉은 지금의 하남성 현명(縣名). 주부(主簿)는 관공서의 문서, 장부를 맡은 벼슬.
- **折枝**(절지) : 절지화. 화훼화(花卉畵)의 표현수법의 하나로 꽃을 그릴 때 단지 한두 가지만 그리고 뿌리 같은 것은 그리지 아니하는 화법(畵法)을 말한다.
- **賦詩**(부시) : 시를 짓다.
- **天工**(천공) : 자연스럽다. 하늘의 조화. 예술 조예가 신묘한 경지에 이름.
- **邊鸞**(변란) : 경조(京兆) 사람. 어려서 단청(丹靑)을 전공하였고, 화조절지(花鳥折枝)에 매우 뛰어났다. 당시 절지화(折枝畫)는 그를 제일로 친다.
- **寫生**(사생) : 생생하게 그리다. 생동감있게 그리다.
- **趙昌**(조창) : 북송의 화가. 자(字)는 창지(昌之). 한주(漢州) 사람. 꽃을 잘 그렸다. 새벽에 서리가 내릴 때마다 난간을 돌아

찬찬히 감상하고는, 손으로 채색을 조절하여 그렸으며, 스스로 "사생조창(寫生趙昌)"이라고 하였다.

- **傳神**(전신) : 살아있는 듯 생생하다. 핍진하다. 진수를 전하다.
- **疎澹含精匀**(소담함정균) : 성기고 담박한 것이 정신을 머금었다. 匀(균) : 고를 균. 가지런할 균.
- **解**(해) : 알다.

◎ 해 제 ◎

이 시는 왕주부(王主簿)가 그린 절지화(折枝畵)에 대해 쓴 제화시이다. 1, 2구에서 동파가 형태의 핍진함〔형사形似〕을 기초로 한 정신의 표현〔형신形神〕을 중시하고 있음을 알 수 있다.

3, 4구의 "시를 짓는 데 반드시 이 시라야 한다고 주장한다면, 반드시 시를 아는 사람이 아니리라"는 것은, 시를 짓는 데 일정한 격식이나 제목에 따라 판에 박힌 내용을 짓는 것보다는 시를 지을 순간의 상황과 정신의 변화에 따른 가변성, 순간적 선택 가능성의 여지를 중시한 것이다. 그래야 더욱 생동적이고 신선하게 표현할 수 있다는 것이다.

5, 6구는 시와 그림은 본래 한 가지 이치로서 천연스럽고 청신함을 추구하고 있음을 표명하고 있다.

7, 8구에서는 변란(邊鸞)의 참새 그림과 조창(趙昌)의 꽃 그림이 생동적이며 내면정신을 표현했음을 예증하여, 전신(傳神)을 중시함을 밝히고 있다.

이어서 9-12구에서는 이 시의 출발점이 된 왕주부의 두 폭의 그림이 한 점 붉은 꽃과 여백을 가지고 가없는 봄빛을 기탁했다고 하였다. 이것은 생략을 통해 본질을 부각시키고 여백미가 드러난 이 그림의 핵심을 단적으로 드러낸 것이다.

위의 제화시를 통해 동파는 내면 정신세계를 중시하는 시화 창작이론을 도출해내고 예증하였다.

8-2. 其二

파리한 대나무는 은자와 같고
덤불 속의 꽃은 처녀와 같아라.
내려왔다 올라갔다 하는 가지 위의 참새
흔들흔들하니 꽃 사이의 비가 후드득 떨어진다.

두 깃을 털고 푸드덕 날아가려 하니
뭇 잎들 분분히 우수수 떨어진다.
꽃에서 꿀을 따는 사랑스러운 벌들이여
맑은 꿀을 두 다리에 묻혔구나.

이 그림을 그린 이는 정말로 하늘이 낸 재주꾼
봄빛이 붓과 종이에 들었어라.
분명히 알겠도다, 그대가 시에 능하여
소리를 부쳐 묘한 말을 구하는 줄을.

瘦竹如幽人, 幽花如處女.
低昂枝上雀, 搖蕩花間雨.
雙翎決將起, 衆葉紛自擧.
可憐采花蜂, 清蜜寄兩股.

若人富天巧，春色入毫楮.
懸知君能詩，寄聲求妙語.

\- 권29

◎ 주석 ◎

• **幽人**(유인) : 산중에 숨어사는 사람. 은자. 산중의 처사.
• **幽花**(유화) : 덤불 속의 꽃. 산중의 그윽한 꽃.
• **低昂**(저앙) : 내려왔다 올라갔다 하다.
• **搖蕩**(요탕) : 흔들리다.
• **泱**(결) : 급히 일어나는 모양.
• **可憐**(가련) : 사랑스럽다. 가련하다.
• **若人**(약인) : 그 사람. 왕주부.
• **天巧**(천교) : 천연스런 재주.
• **毫楮**(호저) : 붓, 종이. 그림.
• **寄聲求妙語**(기성구묘어) : 소리를 부쳐[내게 시를 주어] 묘한 말을 구하는 줄을.

◎ 해제 ◎

이 시는 봄날의 생동미를 보여주고 있다. 1, 2구에서 파리한 대나무가 숨어사는 은자와 같으며, 산중의 그윽한 꽃은 처녀와 같다고 하였다. 이것은 산중의 은자가 되고픈 작자의 희망을 암암리에 반영하고 있다.

나뭇가지 위에서 참새가 흔들흔들거리니 그로 인해 꽃 사이로 빗물이 후드득 떨어지고, 이어서 푸드덕 날아가려 할 때 뭇 잎이 우수수 떨어짐을 통해 생동성과 동태성을 부각시키고 있다. 또한 꽃에서 꿀을 따는 꿀벌이 맑은 꿀을 두 발에 묻혔다고 하여, 시각에서 연유하여 미각까지 상상력을 통해 확장시키고 있다. 절지화(折枝畵)를 통해 새와 꿀벌의 동작이 연유한 묘한 분위기를 파악하고, 그것을 동태적이고 생동감 있게 제화시로 묘사한 동파의 직관과 상상력은 뛰어나다고 하겠다. 9, 10구는 이 그림을 그린 화가 왕주부(王主簿)와, 그 그림에 대한 작자의 총체적인 칭찬이요 평가이다.

9. 왕정국이 소장한 '안개에 덮인 강의 첩첩 산등성이 그림'

書王定國所藏煙江疊嶂圖

수심을 자아내는 강가의 천 겹 산
공중에 뜬 푸른빛 구름안개 같아라.
산인가 구름인가 아득하여 알 수 없는데
안개가 걷히고 구름이 흩어져도 산은 그대로 서 있다.

다만 눈에 보이는 것은 어두컴컴한 양쪽의 벼랑과 깎아내린 듯 가파른 골짜기
그 사이에 폭포수 되어 날아 떨어지는 백 줄기 물줄기.
숲을 감돌고 바위를 감싸며 휘돌아 숨었다가는 다시 드러나
아래에 이르러 골짜기 어귀로 흘러 달리는 냇물 된다.

냇물은 평평히 흐르고 산은 열리어 숲도 끊어졌는데
조그만 다리와 주막집이 산 앞에 붙어 있다.
행인이 큰 나무 저쪽으로 막 지나가고
한 조각 고깃배가 떠 있는 강물은 하늘을 삼킨다.

사군(使君)은 어디서 이 그림을 얻었을까?

붓끝을 놀려 이 맑고 아리따운 경치를 그려 놓았구나.
모르겠도다, 인간세상 어느 곳에 이러한 절경이 있을까?
당장 가서 두 이랑 밭을 사고 싶구나.

그대는 보지 못했던가, 무창(武昌), 번구(樊口)의 그윽하고 빼어난 곳에
동파선생[나]은 5년 세월 거기에 머물렀었지.

봄바람이 강물을 살랑살랑 흔들면 하늘은 아득하고
여름엔 저녁구름이 비를 거두어 산은 선명하고
가을 단풍나무에 까마귀 날다가 물가에 잠들고
겨울 낙락장송에 눈 내리는 소리에 술 취해 든 잠에서 놀라 깨노라.

도화유수(桃花流水)는 이곳 인간세상에 있는 법
무릉도원(武陵桃源)이 어찌 반드시 모두 신선세계이리요?
강산은 맑고 텅 비었는데 나는 티끌 세상에 있어
비록 그 세상으로 가는 길 있다 해도 찾을 인연 없구나.

그대에게 이 그림을 돌려주고 세 번을 탄식하니
산중의 친구들은 응당 나를 불러 돌아오라는 귀거래

(歸去來) 시를 지으리라.

江上愁心千疊山,　浮空積翠如雲烟.
山耶雲耶遠莫知,　烟空雲散山依然.
但見兩崖蒼蒼暗絶谷,　中有百道飛來泉.
縈林絡石隱復見,　下赴谷口爲奔川.
川平山開林麓斷,　小橋野店依山前.
行人稍度喬木外,　漁舟一葉江呑天.
使君何從得此本,　點綴毫末分淸姸.
不知人間何處有此境,　徑欲往買二頃田.
君不見
武昌樊口幽絶處,　東坡先生留五年.
春風搖江天漠漠,　暮雲卷雨山娟娟.
丹楓翻鴉伴水宿,　長松落雪驚醉眠.
桃花流水在人世,　武陵豈必皆神仙.
江山淸空我塵土,　雖有去路尋無緣.
還君此畵三歎息,　山中故人應有招我歸來篇.

\- 권30

◎ 주 석 ◎

- 書王定國所藏煙江疊嶂圖(서왕정국소장연강첩장도) : 왕정국이

소장한 '안개에 덮인 강의 첩첩 산등성이 그림'에 쓰다. 제목 아래, 동파 자주(自注) — "왕진경화(王晉卿畫)." 이 그림에서 그린 것은 한강(漢江)의 경치이다. 묵적(墨蹟)의 뒤에 "원우(元祐) 3년 12월 15일, 자첨(子瞻) 쓰다"라고 되어 있다. 왕진경은 이름이 선(詵). 태원(太原) 사람. 송(宋) 영종(英宗)의 딸 촉국장공주(蜀國長公主)의 부마(駙馬)로, 산수화에 뛰어났다. 수장한 서화가 매우 많으며, '보회당(寶繪堂)'을 지었는데, 동파가 이에 대해 기문(記文)을 지었다. 당대(唐代)의 화가 이성(李成)을 스승으로 삼아, 담묵평원소경(淡墨平遠小景)에 능했다. 여기서 '평원(平遠)'은 대상을 비슷한 높이에서 바라보는 시각을 말한다. 동파는 그가 "파묵삼매(破墨三昧)"를 얻었다고 말했다. 王定國(왕정국) : 동파의 친구 왕공(王鞏). 왕소(王素)의 아들, 왕단(王旦)의 손자. 세상사에 통달하여, 인물의 장단점과 당시의 정치 상황을 논하기를 좋아하였다. 시문은 소동파 형제에게 높이 평가되었다.

- **稍度**(초도) : 막 지나가고. 일설에는, 급하지도 않고 느리지도 않게 걸어 지나가다. 稍(초) : 막. 금방. 度(도) : 지나가다. 건너가다.
- **使君**(사군) : 왕정국(王定國)을 가리킨다. 일설에는, 왕선(王詵)을 가리킨다고도 한다. 왕선은 일찍이 이주방어사(利州防禦使)를 역임했으므로 이렇게 칭했다. 이 경우, 이 구의 의미는 '왕선은 어디에서 이러한 경치를 묘사했는가'이다.
- **徑**(경) : 당장. 곧바로.
- **武昌**(무창) : 황주(黃州)의 남안(南岸)에 있는데, 지금의 호북성 악성현(鄂城縣).
- **樊口**(번구) : 황주의 남안(南岸)에 있는데, 지금의 호북성 악성현 서북쪽.
- **五年**(오년) : 동파는 원풍 3년 2월에 황주에 도착하여, 원풍 7

년 4월에 여주로 가게 되어, 황주 유배는 모두 4년 2개월간이다. 여기서 5년이라고 한 것은 개략적인 수이다.

- **春風**(춘풍) **4구** : 황주의 봄, 여름, 가을, 겨울의 경치를 나누어 묘사하고 있다.
- **武陵**(무릉) : 지금의 호남성 상덕(常德)에 있다. 도연명의 「도화원기(桃花源記)」에는 무릉(武陵) 지방의 한 어부가 세외도원(世外桃園)을 발견한 것을 묘사하고 있다. 여기서 무릉은 도원선경(桃園仙境)을 가리킨다.
- **歸來篇**(귀래편) : 도연명의 「귀거래사(歸去來辭)」가 있다. 동파의 산중 친구가 동파에게 은거 요청을 한다는 것을 가리키고 있다.

◎ 해 제 ◎

53세(원우元祐 3년, 1088년)에 지었다. 이는 왕정국(王定國)이 소장하고 있는 왕진경(王晉卿)의 산수화에 대해 지은 제화시이다. 제1단락(1-12구)에서는 그림 속의 맑고 아름다운 경치를 사실적으로 구체화시키고 있어 마치 본래의 그림을 보는 듯하다. 1-4구는 원경(遠景)을 묘사하고 있다. 안개와 구름은 동태적이고 산은 정태적인데, 정(靜)과 동(動)이 서로를 부각시켜 궁극적인 조화를 이루고 있다.

5-8구는 작자의 시점이 먼 데서 가까운 데로, 높은 데서 낮은 데로 변화하고 있다. 벼랑에서 아래로 떨어지는 폭포수의 물줄기가 드러났다가 숨었다가는 다시 드러나 냇물이 되고 있다. 9-12구는 근경(近景)을 묘사하고 있다. 강물에 하늘이 비추고 있는 것을 강물이 하늘을 삼키고 있다고 묘사하고 있다. 가파른 벼랑, 골짜기, 날리는 물줄기, 숲과 바위, 냇물, 조그만 다리, 주막집 등이 절묘하고 안정감 있게 배치되어 있다. 여기서 그림 속의 주막집, 행인,

고깃배는 따뜻한 인간풍정을 드러내 주고 있다.

제2단락(13-16구)에서는 현실로 돌아와 인간세상에서 드문 절경인 그림 속의 이곳에서 은거하여 농사짓고 싶은 작자의 바람을 표출하고 있다.

제3단락(17-22구)에서는 자신이 보고 있는 그림에서 연유되어, 아스라한 추억으로 남아 있는 과거 황주 유배시절을 회상하고 있다. 5년 가까운 황주에서의 세월을 춘하추동 사계절로 축약시켜 핵심적으로 표현하고 있다. 유배 당시는 고통스러운 일도 많았건만 지내고 보니 이제는 아름다운 추억거리가 되고 있다.

제4단락(23-28구)에서는 다시 현실세계(현재의 시점)로 돌아와 이러한 아름다운 자연으로의 은거를 희망하고 있다. 여기서 동파는 도화유수(桃花流水), 무릉도원(武陵桃源)으로 이름 불리어진 이상향이 별도의 세계에 존재하는 것이 아니라, 인간세계 곧 현실세계에 존재한다고 하였다. 이것은 이성적이고 이지적인 인식태도이다. 이 시는 전체적으로 그림 속의 절경을 읊었고, 그러한 절경을 동경하여 그 속에서 은거하고 싶은 정이 배어나 있으며, 인간현세를 중시하는 이성적, 이지적인 태도가 유감없이 발휘되고 있다. 정(情)·경(景)·이(理)가 융합되어 있다고 할 수 있다.

10. 왕정국이 소장한 왕진경의 '채색한 산 그림' 2수, 其一

書王定國所藏王晉卿畫著色山 二首, 其一

백발의 상산사호
어찌 일찍이 상산에 있던 얼굴인가.
수고스럽지만 그대 종이 위에 그림자 그려서
내 가슴속의 산을 비춰주게나.

산중에 또 무엇이 있는가
고목과 흙과 못생긴 돌이지.
바로 하늘 햇빛 환히 비추어
물 흐르는 시내와 (나무와 꽃이 있는) 골짜기가 어지럽게 난만하더라.

내 마음은 텅 비어 아무것도 없으니
유교의 학문이 어찌 족히 관계하랴
그대 옛 우물물을 보게나
천하의 온갖 모습이 저절로 왔다 갔다 하네.

白髮四老人，何曾在商顔.
煩君紙上影，照我胸中山.
山中亦何有，木老土石頑.
正賴天日光，澗谷紛爛斑.
我心空無物，斯文何足關.
君看古井水，萬象自往還.

\- 권31

◎ 주 석 ◎

- **詩題**(시제) : 왕정국이 소장한 왕진경의 '채색한 산 그림'에 쓰다.
- **王定國**(왕정국) : 이름은 왕공(王鞏).
- **王晉卿**(왕진경) : 왕선(王詵).
- **白髮四老人**(백발사노인) : 상산사호(商山四皓). 진(秦)나라 말기 한(漢)나라 초의 동원공(東園公), 녹리선생(甪里先生), 기리계(綺里季), 하황공(夏黃公) 등 상산(商山)에 은거했던 네 명의 노인을 말하는데, 그들은 모두 80여세였다.『사기(史記)』「유후세가(留侯世家)」에 보인다.
- **商**(상) : 상산(商山).
- **爛斑**(난반) : 문채 있는 모양. 문채 란. 얼룩 반.
- **斯文**(사문) : 이 글. 이 학문. 이 도(道). 유교의 학문. 유교의 문화.

◎ 해 제 ◎

54세(원우元祐 4년, 1089년)에 변경(汴京)에서 지었다. 산으로부터 감발하여, 의도하지 않고 그림 가운데 경치를 재현하고 있다. 전반부는 그림 가운데의 경치를, 후반부는 정을 서술하고 있다. (王1)

11. 과거 합격 동기생 막군진과 비 오는 가운데 호수 가에서 술 마시며
與莫同年雨中飮湖上

도처에서 만나는 것은 우연일 뿐
꿈속에서 만나듯 우리 둘 다 백발일세.
다시 찾은 서호에서 빗속에 취하니
튀는 구슬비 못 본 지도 벌써 15년이라.

到處相逢是偶然, 夢中相對各華顚.
還來一醉西湖雨, 不見跳珠十五年.

- 권31

◎ 주 석 ◎

- **莫同年**(막동년) : 이름은 막군진(莫君陳), 자는 화중(和中). 오흥(吳興) 사람. 당시에 양절제형(兩浙提刑)을 맡고 있었다. 관직은 소부감(少府監)에 이르렀다.
- **華顚**(화전) : 머리가 허옇다.
- **不見跳珠十五年**(불견도주십오년) : 동파가 37세(희녕熙寧 5년, 1072년)에 지은「6월27일망호루취서 5절(六月二十七日望湖樓醉書 五絶)」其一 - "먹물을 뒤엎은 듯한 검은 구름 미처 산을 가리기 전에, 흰 빗줄기 구슬 튀듯 어지러이 배 안으로 들이친

다(黑雲翻墨未遮山, 白雨跳珠亂入船)". 跳珠(도주) : 빗방울이 호수 위로 떨어지는 정경. 튀는 빗방울.

◎ 해 제 ◎

54세(원우元祐 4년, 1089년) 7월, 항주에 도착한 후에 지었다. 우연히 친구와 서로 흰머리로 상봉하니 마치 꿈속 같다. 호수 가에서 호탕하게 술을 마시며 비를 감상하니 17년 전에 자신이 서호를 읊은 "흰 빗줄기 구슬 튀듯 어지러이 배 안으로 들이친다(白雨跳珠亂入船)"(「六月二十七日望湖樓醉書」)라는 시구가 생각났다. (王2)

12. 거란에 사신으로 가는 자유를 보내며
送子由使契丹

구름과 바다가 서로 바라보는 곳에 이내 몸 부쳤거늘
어찌 그대가 멀리 떠난다 해서 다시 수건을 적시랴.
역마 타고 풍설(風雪)을 무릅쓰고 가서
거란 임금에게 송나라에 봉황과 기린 같은 인재가 있음을 알게 해야 하리.

그대는 사막에서 송나라 궁중의 달을 돌아보겠고
거란의 호수와 산을 보며 내가 있는 항주의 봄을 꿈꾸겠지.
거란 임금 선우(單于)가 만일 우리 가문에 대해 묻거들랑
송(宋) 조정의 제일가는 집안이라고 말하지 말게나.

雲海相望寄此身， 那因遠適更沾巾.
不辭馹騎凌風雪， 要使天驕識鳳麟.
沙漠回看清禁月， 湖山應夢武林春.
單于若問君家世， 莫道中朝第一人.

- 권31

◎ 주 석 ◎

- **契丹**(거란) : 원래 동호족(東胡族)의 한 갈래인데, 북위(北魏) 때에 스스로 '거란(契丹)'이라 불렀다. 당(唐)나라 말기에 거란국(契丹國)을 세웠고, 후에 국명을 요(遼)로 바꾸었다.
- **天驕**(천교) : 거란을 가리킨다. 한(漢)나라 때, 흉노(匈奴)는 자칭 "천지교자(天之驕子)"라 하였다. 후에 널리 강성한 변방민족을 가리킨다.
- **鳳麟**(봉린) : 걸출하고 보기 드문 인물을 비유한다. 여기서는 송나라의 인재와 문화를 가리킨다.
- **淸禁**(청금) : 황궁. 당시 소철은 조정에서 한림학사(翰林學士)로 재직하고 있었다.
- **武林**(무림) : 항주(杭州)를 가리킨다. 당시 동파는 항주에서 지주(知州)로 있었으므로, 소철은 항주를 그리워했을 것이다.
- **單于**(선우) : 흉노 임금의 칭호. 대왕. 천자. 원래 '광대(廣大)하다'는 뜻이다. 여기서는 요(遼)나라 황제.
- **中朝**(중조) : 송조(宋朝)의 중앙정부.

◎ 해 제 ◎

54세(원우 4년, 1089년) 7월, 동파는 항주지주(杭州知州)로 부임하였다. 8월에, 소철(蘇轍)은 요국생신국신사(遼國生辰國信使)가 되어 거란에 사신으로 파견되었다. 이는 거란(요遼나라)에 사신으로 나가는 아우 소철에게 쓴 시이다. 아우와의 작별의 정을 억누르고, 소철에게 거란의 임금에게 북송에 인재가 많음을 과시할 것을 당부하고 있다. 당시 소씨(蘇氏) 삼부자의 시문은 이미 거란에 전해져 높은 평가를 받고 있었다. 아울러 동파는 소철에게 자기네 가문을 자랑하지 말고 겸손한 태도를 보일 것을 권유하고 있다.

13. 수성원의 한벽헌

壽星院寒碧軒

맑은 대나무 바람 선들선들 창 사립문 흔드는데
창 앞에는 긴 대나무 한 자나 둘러섰다.
설렁설렁 날리는 푸른빛 눈처럼 여름 대자리에 떨어지고
가만가만 스며드는 푸른 안개 사람의 옷 적시운다.

한낮에 산의 매미는 대 잎사귀를 안고 맴맴 울어대고
인적은 고요한데 푸른 날개 새는 숲속을 뚫고 날아간다.
스님은 곡식 알갱이 안 먹고 차가운 대나무를 바라보며
학처럼 비쩍 마른 골격 어찌 살찌울 수 있냐고 묻는다.

清風肅肅搖窗扉, 窗前修竹一尺圍.
紛紛蒼雪落夏簟, 冉冉綠霧沾人衣.
日高山蟬抱葉響, 人靜翠羽穿林飛.
道人絶粒對寒碧, 爲問鶴骨何緣肥.

— 권32

◎ 주 석 ◎

- **壽星院**(수성원) : 항주의 보운산 서쪽이 갈령(葛嶺)인데, 그 아래에 수성원이 있다. 그 안에는 배천(杯泉), 영천(靈泉), 한벽헌(寒碧軒), 차군헌(此君軒)이 있다.
- **扉**(비) : 사립문.
- **冉冉**(염염) : 가만가만. 부드럽고 약한 모양.

◎ 해 제 ◎

55세(원우元祐 5년, 1090년)에 지었다. 수성원 한벽헌의 대나무 정경을 묘사하고 있다. 이 시에는 대상의 동태감이 잘 나타나고 있다.

14. 항주 진각원에 낙양 모란이 있는데, 꽃이 필 때는 갈 겨를이 없다가, 4월 18일에 유경문과 함께 비파를 구경하다

眞覺院有洛花, 花時不暇往, 四月十八日, 與劉景文同往賞枇杷

녹음이 짙은 4월 초여름을 맞아
떨어진 붉은 모란 봄에 보지 못했네.
모란꽃은 늙은이가 구경할 짝이 아니고
노귤[비파]은 촌뜨기라.

촌락은 산 끝에 의지해 있고
바위 절벽은 새로운 기분이 발하네.
추운 겨울에 군자의 절개가 나타난다는 공자님의 말씀을 그대는 기억하라
눈 덮인 소나무의 파란 비늘을 보라.

綠暗初迎夏, 紅殘不及春.
魏花非老伴, 盧橘是鄉人.
井落依山盡, 巖崖發興新.
歲寒君記取, 松雪看蒼鱗. - 권32

◎ 주 석 ◎

- **眞覺院**(진각원) : 항주(杭州) 서호 용산(龍山)의 북쪽에 있다.
- **洛花**(낙화) : 모란꽃. 낙양(洛陽)의 모란은 세상에 유명하다. 그러므로 이렇게 이름 지었다.
- **劉景文**(유경문) : 유계손(劉季孫). 자(字)가 경문(景文)이며, 개봉(開封) 상부(祥符) 사람. 당시 양절병마도감(兩浙兵馬都監)으로 항주에 있었다. 동파는 그를 '나라의 선비[국사國士]'로 지목하여 추천했다.
- **魏花**(위화) : 모란 품종의 하나. 구양수(歐陽修), 『낙양모란기(洛陽牡丹記)』 「화석명제2(花釋名第二)」 - "위가의 모란은 1천 잎사귀에 육질이 붉은 꽃으로 위상 인부가(魏相 仁溥家)에서 나왔다. ……전사공이 일찍이 말하였다. '사람들이 말하길, 모란은 꽃의 왕이니, 지금의 요황 모란은 참으로 왕이 될 만하고, 위화는 왕후이다'(魏家花者, 千葉肉紅花, 出于魏相仁溥家. ……錢思公嘗曰, 人謂牡丹花王, 今姚黃眞可爲王, 而魏花乃后也)."
- **盧橘**(노귤) : 귤과 비슷한데, 그 껍질은 오래되면 검게 변한다. 그러므로 이러한 이름을 지었다. 노(盧)는 검은색이란 뜻. 그러나 동파는 여기서 노귤이 비파를 가리킨다고 하였다.
- **歲寒**(세한) : 추운 겨울. 『논어(論語)』 「자한(子罕)」 - "날씨가 추워진 뒤에야 소나무와 잣나무가 뒤늦게 시듦을 알 수 있다(歲寒然後, 知松柏之後彫也)."

◎ 해 제 ◎

55세(원우元祐 5년, 1090년)에 지었다. 항주 진각원의 낙양 모란은 구경 갈 겨를이 없었고, 초여름에 비파 구경을 가서 지은 시이다.

15. 유경문에게

贈劉景文

연꽃이 다 지니 비를 떠받치는 우산[연잎]이 없어졌고
국화꽃 다 떨어졌으나 서리를 업신여기는 가지가 있다.
1년의 좋은 경치 그대는 기억해야 하리
바로 등자(橙子) 누렇고 감귤 푸를 때를.

荷盡已無擎雨蓋, 菊殘猶有傲霜枝.
一年好景君須記, 正是橙黃橘綠時.

— 권32

◎ 주 석 ◎

• **劉景文**(유경문) : 이름은 계손(季孫), 개봉(開封) 상부(祥符) 사람. 장수의 후예이며, 박학하고 시문을 잘했다. 처음에 왕안석의 인정을 받아 발탁되었다. 당시 양절병마도감(兩浙兵馬都監)에 임명되어 항주에 있었다. 동파는 그를 중시하여, 습주(隰州 : 지금의 산서성 습현隰縣)지주(知州)로 추천하였다. 그는 장서가 풍부하며 시에 능했으며, 동파의 시우(詩友)이기도 하다. 동파는 그를 강개지사(慷慨之士)라고 칭했다.
• **擎雨蓋**(경우개) : 비를 떠받치는 우산. 연잎을 가리킨다. 들 경.

일산 개.

- **傲霜枝**(오상지) : 서리를 업신여기는 가지.

◎ **해 제** ◎

55세(원우元祐 5년, 1090년)에 지었다. 이 짧은 시는 연꽃, 국화, 등자, 귤의 네 가지 식물의 변화하는 특징을 통해, 생동적이고 세밀하게 깊은 가을과 초겨울의 경치를 묘사하고 있다. 뒤 두 구는 찬미하듯, 애석해 하듯 그 묘함을 곡진히 하고 있다. (王王)

16. 희녕 연간에, 나는 항주통판이 되었다. 제야에 도청(都廳)에 숙직하였는데, 수감되어 있는 죄수가 가득 차서, 날이 저물었는데도 숙소로 돌아가지 못했다. 이로 인해 벽에다 시를 한 수 제하였는데, 지금 20년이 되었다. 쇠하고 병든 나머지, 다시 송구스럽게도 군(郡)에서 관직을 지내게 되어, 다시 제야를 지나니 관청의 일이 없고 세 감옥이 모두 비었다. 대개 동료의 힘이요, 못난 내가 한 것은 아니다. 이로 인해 전편(前篇)에 화답하고 공제, 자모 두 통판에게 준다, 전시(前詩)

熙寧中, 軾通守此郡. 除夜直都廳, 囚繫皆滿, 日暮不得返舍, 因題一詩於壁, 今二十年矣. 衰病之餘, 復忝郡寄, 再經除夜, 庭事蕭然, 三圄皆空. 蓋同僚之力, 非拙朽所致, 因和前篇呈公濟子侔二通守, 前詩

선달 그믐날 밤 일찍 귀가해야 마땅하나
관청 일로 묶여 있게 되었다.
붓을 들고 죄수들이 가여워 눈물 흘린다.

감옥에 수감되어 있는 죄수들 가여워라.

가난한 백성들 호구지책으로 저지른 일이
법망에 저촉되어 부끄러움도 모른다.
나 역시 관리의 적은 봉급에 연연하여
되는 대로 살다가 은둔하고픈 소원도 저버렸다.

어진 이 어리석은 이 따질 것 없이
모두 먹기 위해 사는 일.
어느 누가 잠시나마 그들을 석방시켜 줄 수 있으랴
민망하여 묵묵히 옛 현인에게 부끄럽구나.

除日當早歸, 官事乃見留.
執筆對之泣, 哀此繫中囚.
小人營餱糧, 墮網不知羞.
我亦戀薄祿, 因循失歸休.
不須論賢愚, 均是爲食謀.
誰能暫縱遣, 閔默愧前修.

\- 권32

◎ 주 석 ◎

• 餱糧(후량) : 건량(乾糧). 여기서는 생계를 가리킨다.
• 因循失歸休(인순실귀휴) : 꾸물거리며 되는 대로 살다가 귀은

(歸隱)하지 못하다.

- **閔默愧前修**(민묵괴전수) : 내심에 묵묵히 근심이 있어, 선배 명현(名賢)들에게 부끄럽다. 前修(전수) : 전현(前賢). 옛 현인.

◎ **해 제** ◎

전시(前詩)는 36세(희녕 4년)에 지었다. 작자가 55세(원우 5년, 1090년) 항주지주로 있을 때 이 시를 화답한 시가 이 시의 후시(後詩)이다. 동파가 제야에 관청 일로 귀가하지 못하고, 호구지책을 위해 죄를 범한 죄수들을 동정하는 시이다.

생존을 위해 법망에 저촉된 가여운 죄수들과, 생계를 위해 적은 봉록에 연연하는 자신은 모두 먹고살기 위한 것이라는 공통점을 가지고 있다고 하였다. 아울러 작자는 잠시라도 그들을 집으로 돌려보내 가족과 함께 지내게 하지 못해 옛 현인들에게 부끄러워하고 있다. 이러한 자기 반성적인 시는 "시를 지어 먼저 나 자신의 잘못을 추궁한다(作詩先自劾)"(「和李邦直沂山祈雨有應」)는 그의 지론과도 상통하고 있다.

17. 내가 항주(杭州)를 떠난 지 16년이 지나 다시 와 2년을 머물다가 떠난다. 나의 평생 출처(出處 : 출사出仕와 은퇴隱退)와 그때의 나이가 대략 낙천(樂天)과 같다. 비록 재주와 명성이 서로 현격하나 분수를 편히 여기어 구하는 것을 적게 함은 또한 거의 가깝다고 할 것이다. 3월 6일, 이곳에 와 남쪽과 북쪽 산의 여러 도인(道人)과 이별하고 하천축의 혜정(惠淨) 스님께서 못생긴 돌을 노자 삼아 주시니, 이에 절구 세 수를 짓다, 其二

予去杭十六年而復來, 留二年而去. 平生自覺出處老少, 麤似樂天, 雖才名相遠, 而安分寡求, 亦庶幾焉. 三月六日, 來別南北山諸道人, 而下天竺惠淨師以醜石贈行, 作三絶句, 其二

나의 출사(出仕)와 은퇴는 백낙천과 비슷한데
감히 노쇠한 내가 옛 현인[백낙천]과 비교할 수 있으리.
이제 백거이가 관직을 그만두고 낙사(洛社)를 따라갔

듯이

나도 관직을 그만두고 가면 아직도 20년을 한가로이 지낼 수 있다.

出處依稀似樂天, 敢將衰老較前賢.
便從洛社休官去, 猶有閒居二十年.

- 권33

◎ 주 석 ◎

• **便從洛社休官去, 猶有閒居二十年**(변종낙사휴관거, 유유한거이십년) : 백거이는 낙양에서 관직을 그만두고, 거처에다가 연못을 파고 나무를 심고, 향산(香山)에다 석루(石樓)를 만들어, 스스로 취음선생(醉吟先生)이라고 하였다. 만년에 스님 여만(如滿)과 향화사(香火社)를 결성하여 글과 술로써 20년을 즐겼다. 백거이는 관직을 그만두고 6년 만에 서거했으니, 향년 75세이다. 지금 동파가 소환되니 나이 56세이다. 이제 관직을 그만두게 되면, 백거이에 비해 20년이 남아 있는 것이다.

◎ 해 제 ◎

여기서도 소동파는 자신의 당시까지의 출사(出仕)와 은퇴(隱退)의 행적에 있어 백거이(白居易 : 백낙천白樂天)와의 공통점을 재차 피력하고 있다. 이것이 바로 그가 백거이를 좋아하고, 그가 주장한 '중은(中隱)'을 동경하게 된 배경의 하나임을 알 수 있겠다.

18. 영수에 배 띄우며

泛潁

나의 천성이 물 가까이하는 것을 좋아했는데
영수에 오니 뜻이 심히 기이하다.
관사에 도착한 지 열흘 동안
아흐레는 강가에 가 있었다.

관리와 백성들 웃으며 서로 이야기하는데
'원님[동파]께서는 늙고 어리석군요'라고 하네.

내가 실로 어리석은 게 아니라
흐르는 강물에 좋은 모습 있기 때문이라네.

(강물은) 고을을 휘돌아 10여리를
빨리 흐르지도 더디게 흐르지도 않는다.
상류는 강줄기가 쪽 곧고 맑으며
하류는 굽이치고 물살이 인다.

채색 유람선을 타고 거울같이 맑은 강물을 내려다보면서
(물속의 나에게) 웃으며 '물아! 너는 누구냐?'고 물었다.

갑자기 비늘 같은 파문이 일어
물에 비친 내 얼굴의 수염과 눈썹이 일렁거리더니
흩어져 백 사람의 동파(東坡)로 되었다가
금방 다시 본 모습으로 돌아온다.

이 어찌 물이 내 얼굴을 우습게 본 것이랴.
나와 더불어 서로 희롱한 것이지.

(물의) 소리와 빛과 냄새와 맛이
전도되어 어린아이를 어지럽게 한다.
아이들 희롱하는 물건과 같아
물은 갈아도 얇게 되고 물들여도 검게 됨이 없다.

조령치와 진사도와 구양수의 두 아들이
모두 대자연과 사회를 스승으로 삼는 모임에 참가했다.
묘함을 보고 각기 터득한 것이 있어
함께 '영수에 배를 띄우고' 시를 지었다.

我性喜臨水, 得潁意甚奇.
到官十日來, 九日河之湄.
吏民笑相語, 使君老而癡.
使君實不癡, 流水有令姿.

遶郡十餘里，　不駛亦不遲.
上流直而清，　下流曲而漪.
畫船俯明鏡，　笑問汝爲誰.
忽然生鱗甲，　亂我鬚與眉.
散爲百東坡，　頃刻復在玆.
此豈水薄相，　與我相娛嬉.
聲色與臭味，　顚倒眩小兒.
等是兒戲物，　水中少磷緇.
趙陳兩歐陽，　同參天人師.
觀妙各有得，　共賦泛潁詩.

- 권34

◎ 주 석 ◎

- 湄(미) : 물가를 가리킨다.
- 使君(사군) : 원님. 지난날, 주(州) · 군(郡)의 장관의 통칭.
- 駛(사) : 빠르다. 급하다.
- 漪(의) : 잔물결. 물결이 비단무늬 같음을 형용. 물놀이 의.
- 鱗甲(인갑) : 물결을 비유하였다.
- 薄相(박상) : 유희하다. 농담하다.
- 聲色與臭味(성색여취미) : 성(聲)은 듣기 좋은 것, 색(色)은 보기 좋은 것, 여색(女色)을 포함한다. 취(臭)는 냄새가 좋은 것, 미(味)은 맛, 맛있는 것. 합하여 인간세상의 부귀영화를 가리킨다.

- **顚倒眩小兒**(전도현소아) : 성색취미(聲色臭味)는 세상 사람을 어린아이로 간주하여, 그들의 혼을 전도시킨다.
- **水中少磷緇**(수중소린치) : 『논어(論語)』 「양화(陽貨)」 - "단단하다고 말하지 않겠는가, 갈아도 얇아지지 않으니. 희다고 말하지 않겠는가, 검은 물을 들여도 검어지지 않으니(不曰堅乎, 磨而不磷, 不曰白乎, 涅而不緇)." 인(磷)은 갈아서 얇아지는 것을 말하고, 치(緇)는 물들여서 검게 변하는 것을 말한다. 인치(磷緇)는 환경의 영향을 받아 변화를 일으키는 것이다. 이 몇 구는 물을 좋아하고 소리와 빛깔, 냄새와 맛을 좋아함은 똑같이 즐기는 일이나, 물놀이는 좋지 않은 습성에 물듦에 이르지 않는다는 것을 말하고 있다.
- **趙陳兩歐陽**(조진양구양) : 조(趙)는 조령치(趙令時)를 말한다. 자(字)가 경황(景貺)인데, 동파가 그의 자를 덕린(德麟)이라고 바꾸었다. 이때 승의랑(承議郎)으로서 영주첨판(潁州簽判)으로 있었다. 진(陳)은 진사도(陳師道)를 말한다. 자가 이상(履常)으로 무기(无己)라고도 한다. 이때 영주주학교수(潁州州學敎授)로 있었다. 兩歐陽(양구양) : 구양비(歐陽棐 : 구양수歐陽修의 셋째 아들)와 구양변(歐陽辨 : 구양수의 넷째 아들)을 말한다. 구양비는 자가 숙필(叔弼)이고, 구양변은 자가 계묵(季默)이다.
- **天人師**(천인사) : 대자연과 사회를 스승으로 삼는 모임. 자연과 인사(人事)의 묘체(妙諦). 천인(天人)을 물아지간(物我之間), 곧 객관과 주관의 사이라고도 한다. 이 구는 조령치, 진사도 등이 대자연과 사회를 스승으로 삼아, 영수에 배를 띄우고 이러한 문제를 이야기하였음을 말한다.

◎ 해 제 ◎

56세(원우元祐 6년, 1091년) 영주(潁州)에 도착한 후 지었다. 동파가 거울같이 잔잔한 영수(潁水)에서 배를 타고 유람하다가 물에 비친 자신의 모습을 기묘하게 묘사한 시이다. 그는 영주지주로 부임한 지 열흘 동안 아흐레는 물가에 갈 정도로 물을 좋아했다.
여기서 잔잔하던 물 위에 갑자기 물결이 일자, 물에 비친 자신의 얼굴이 백 사람의 동파로 변화되었다가 다시 금방 원래의 모습으로 돌아온 변화를 탁월한 필치로 묘사하고 있다. 이처럼 그는 순간적 형상을 잘 포착하여 시로 표현하고 있다. 순간 형상의 포착과 동태성의 표현이 탁월하다.

19. 회수에서 이른 아침 물길을 떠나며
淮上早發

희미한 달이 구름에 기울어지며 새벽 나팔소리 서글픈데
산들바람이 강물에 불어대니 푸른 비늘 같은 물결 생긴다.
나의 인생 진정코 강호 따라 늙으리
가만히 헤아려보니 회수 물 건넌 지 이제 열 번째라.

澹月傾雲曉角哀, 小風吹水碧鱗開.
此生定向江湖老, 默數淮中十往來.

- 권35

◎ 주 석 ◎

- **十往來**(십왕래) : 1. 희녕 4년, 변경(汴京)으로부터 항주통판에 부임되어, 2. 희녕 7년, 항주로부터 밀주지주로 옮기며, 3. 원풍 2년 3월, 서주로부터 호주지주(湖州知州)로 부임하며, 4. 동년 8월, 호주지주로부터 체포되어 어사대옥(御史臺獄)에 갈 때, 5. 원풍 7년, 상주(常州) 거주를 요청하여, 사주(泗州)로부터 남도(南都)로 가서 어지(御旨)를 기다릴 때, 6. 원풍 8년 4월, 남도로부터 상주로 돌아갈 때, 7. 동년 9월, 상주로부터 등주지주

(登州知州)로 부임할 때, 8. 원우(元祐) 4년, 경사(京師)로부터 항주지주로 부임할 때, 9. 원우 6년, 항주로부터 변경(汴京)에 소환(召還)될 때. 이번에 양주지주(揚州知州)로 부임할 때까지 합하여 모두 열 번을 회수(淮水)를 건너게 된다.

◎ 해 제 ◎

57세(원우元祐 7년, 1092년) 3월, 동파는 영주지주(潁州知州)에서 양주지주(揚州知州)로 임명되어, 도중에 회하(淮河)를 지나며 이 시를 지었다. 표박하는 인생 속에 강호 따라 늙겠다는 청담한 마음이 잘 표현되어 있다.

20. 도연명의 「음주」 시 20수에 화답하여
和陶飮酒二十首, 幷敍

나는 주량이 지극히 적어, 항상 잔을 드는 것을 낙으로 삼는다. 왕왕 취한 듯 앉아 잠자는데, 남이 취한 것으로 여기나, 도리어 내 마음은 분명히 깨어 있으니, 대개 그것이 취한 상태인지 깨어 있는 상태인지 알 수 없다. 양주(揚州)에 있을 때, 술을 마시고 정오가 넘으면 문득 술자리를 끝낸다. 손님이 돌아가고, 나는 옷을 풀고 다리를 쭉 뻗고 앉아 있으면, 온종일 즐거움은 부족했으나 마음에 맞는 것은 마침 남음이 있다. 이로 인해 연명의 음주시 20수에 화답한다. 대체로 뭐라고 이름 지을 수 없는 기분을, 아우 자유와 조무구 학사에게 보인다.

吾飮酒至少, 常以把盞爲樂. 往往頹然坐睡, 人見其醉, 而吾中了然, 蓋莫能名其爲醉爲醒也. 在揚州時, 飮酒過午輒罷, 客去, 解衣盤礴, 終日歡不足, 而適有餘, 因和淵明飮酒二十首, 庶以髣髴其不可名者, 示舍弟子由晁无咎學士.

◎ 주석 ◎

• 頹然(퇴연) : 술에 취하여 비틀거리는 모양.

- **盤礴**(반박) : 다리를 쭉 뻗어 앉아 있는 모습.
- **適**(적) : 마음[뜻]에 맞는 것.
- **子由**(자유) : 소동파의 아우 소철(蘇轍).
- **晁无咎**(조무구) : 1053-1110년. 이름은 조보지(晁補之), 호는 귀래자(歸來子). 소문사학사(蘇門四學士)의 한 사람. 이때 양주 통판(揚州通判)으로 재직하고 있었다.

◎ 해 제 ◎

57세(원풍 7년) 양주지주(揚州知州)로 있을 때, 술 마신 후의 정취를 연명의 「음주(飮酒)」 20수에 화답하여 지었다.
동파의 화도시(和陶詩 : 도연명의 시의 운에 맞추어 지은 시) 창작은 이때 시작되었다. 이 화도시는 살아있는 사람의 시에 대한 화답시가 아니라, 고인에게 화답한 시〔追和詩〕이다. 이는 소동파의 첫 번째 화도시이다. 이 시에는 동파의 음주태도가 잘 나타나 있으며, 그의 인생의 단면을 반영하고 있다. 그는 술을 마시며 취한 상태인지 깬 상태인지 알 수 없는 순간에 느끼는 형언할 수 없는 쾌적한 기분을 즐기고 있다.

▌참 고 ……………………………………………………

도연명, **「음주(飮酒)」** 二十首 序

내가 한가로이 살면서 즐거운 일이 적고 게다가 가을밤이 너무 기니, 우연히 좋은 술 얻게 되면 마시지 않은 밤이 없었다. 그림자 돌아보며 혼자 다 마셔버리니 홀연 또 취하였다. 취한 뒤에 곧 몇 구절의 시를 지어 스스로 즐겼다. 종이에 써놓은 것이 마침내 많아졌는데 말에 차례가 없어서 그저 친구에게 그것들을 쓰도록 부탁하여 즐기고 웃을 거리로 삼을 따름이다.

余閑居寡歡, 兼秋夜已長, 偶有名酒, 無夕不飲. 顧影獨盡, 忽焉復醉. 旣醉之後, 輒題數句自娱. 紙墨遂多, 辭無詮次, 聊命故人書之, 以爲歡笑爾.

20-1. 其一

나는 도연명 선생만 못해
세사에 얽히고설킨다.
어찌하여 한 번 마음에 맞는 것을 얻게 되면
그래도 선생과 같을 때도 있다.
마음에 거리낌이 없는 것
좋은 곳은 바로 여기에 있네.
마음을 따라 일과 더불어 가니
만나는 것에 다시 의심할 것 없네.
우연히 음주의 정취를 깨달으면

빈 잔이라도 항상 잡네.

我不如陶生, 世事纏綿之.
云何得一適, 亦有如生時.
寸田無荊棘, 佳處正在玆.
縱心與事往, 與遇無復疑.
偶得酒中趣, 空杯亦常持.

- 권25

◎ 주 석 ◎

- 陶生(도생) : 도연명 선생.
- 纏綿(전면) : 칭칭 얽힘.
- 云何(운하) : 어찌하여.
- 生(생) : 선생. 도연명 선생.
- 寸田(촌전) : 마음을 비유한다.
- 荊棘(형극) : 잡념을 가리킨다.
- 縱心(종심) : '종심(從心)'과 같다. 『논어(論語)』 「위정(爲政)」 - "일흔 살에 마음에 하고자 하는 바를 좇아도 법도를 넘지 않았다(七十而從心所欲不踰矩)."
- 酒中趣(주중취) : 주중(酒中)의 정취. 음주의 정취.

◎ 해 제 ◎

동파는 자유자재하여 일마다 거리낌이 없는 경지에 든 도연명에 대한 자신의 사모, 그리고 57세가 된 지금에야 연명의 경지를 체득했음을 읊었다.

동파는 연명에 미치지 못해 세사에 구속되는 경우가 많았으면서도 어떻게 하면 마음에 맞을까 하고 자문하고는 그 자적(自適)의 경지를 추구하고 있다. 그리하여 때로는 연명과 같을 때도 있다고 하였다. 마음에 찌꺼기, 갈등, 모순, 미움 등이 없이 거리낌 없이 행동하는 것, 거기에 아름다움이 있다. 마음에 맞는 대로 일해 나가니, 마치 공자가 "일흔 살에 마음에 하고자 하는 바를 따라도, 법도를 넘지 않았다"(『논어』「위정爲政」)라고 한 것처럼, 만나는 것마다 의심할 것 없이 모두 사리에 맞는 경지를 터득하고 있다.

먼저 세사에 얽매이는 자아를 표현하고, 도연명을 모범으로 하여 자신의 마음에 거리낌이 없는 경지를 추구하고 있다. 그리하여 우연히 술 가운데 정취를 얻으면 빈 잔이라도 항상 잡는 모습을 토로하고 있다.

참 고

도연명, 「음주(飮酒)」 其一

쇠퇴와 번성은 정해진 바가 없어,
서로가 바뀌며 함께한다.
소생의 오이밭 가운데 생활이,
어찌 동릉후로 있었을 때와 같으리오.
추위와 더위가 대신하고 물러남이 있듯이,

사람 사는 길도 언제나 이와 같다.
통달한 사람들은 그 이치를 아니,
아아 장차 다시는 의심하지 않으리.
홀연히 한잔 술을,
해 저물녘에 즐거이 드노라.

衰榮無定在, 彼此更共之.
邵生瓜田中, 寧似東陵時.
寒暑有代謝, 人道每如茲.
達人解其會, 逝將不復疑.
忽與一觴酒, 日夕歡相持.注)

◎ 주 석 ◎

- 邵生(소생) : 진(秦)나라 사람 소평(邵平). 동릉후(東陵侯)에 봉해졌으나 진나라가 망하자 장안의 동쪽에서 외(오이)를 기르며 안빈낙도의 자세로 가난하게 살았다.
- 逝(서) : 발어사이다.

注) 김창환 역주. 이하 도연명의「음주」시 6수의 역주는 이에 따른다.

20-3. 其三

도가 없어지니 선비는 자기를 잃어
말을 해도 문득 본정(本情)이 아니네.
강좌(江左)의 풍류스런 사람은
취중에도 명리를 구한다.

연명은 홀로 맑고 진실해서
담소하며 참 삶을 얻네.

그의 몸은 마치 바람맞는 대나무가
너풀너풀 나뭇잎들 흔들리듯
굽어보고 우러러보아 각기 모습 있어
술 얻자 시는 저절로 이루어지네.

道喪士失己, 出語輒不情.
江左風流人, 醉中亦求名.
淵明獨淸眞, 談笑得此生.
身如受風竹, 掩冉衆葉驚.
俯仰各有態, 得酒詩自成. - 권25

◎ 주 석 ◎

- **輒**(첩) : 문득.
- **不情**(부정) : 말이 가슴에서 나오지 않음.
- **江左**(강좌) : 강남. 양자강[장강長江]의 남쪽. 여기서는 남조(南朝)시대를 가리킨다. 육조(六朝)의 명사(名士)들은 풍류를 중시하였지만, 실제로는 명성을 좋아하였다.
- **談笑得此生**(담소득차생) : 도연명, 「음주」 其七 - "동쪽 창 아래에서 시를 읊조리며 거리낌이 없으니, 그런대로 다시 이 삶의 뜻을 깨닫겠다(嘯傲東軒下, 聊復得此生)."
- **掩冉**(엄염) : 너풀너풀. 잎이 흔들리다.
- **俯仰**(부앙) : 위를 우러르고 아래를 굽어보다.

◎ 해 제 ◎

동파는 '도가 없어지자 선비는 참 정을 말하지 않는다'는 등 세상이 어떻게 변화해도 연명은 항상 홀로 맑고 진실해서 "술을 얻으면 시는 저절로 이루어지는" 것을 흠모하고 있다.

강좌(江左)는 육조(六朝)시대를 말하는데 도연명이 살던 동진(東晉)시대도 포함된다. 강좌의 풍류스런 사람은 술에 취하여도 명리를 구하는 것을 잊지 않는다. 이는 도연명 당시의 혼란한 시대상에 대한 탄식이다. 그래도 연명은 홀로 맑고 진실되어, 담소하며 인생의 참된 의미를 얻고 있다.

이 시는 술이 시창작의 촉진제가 되고 있음을 표현하고 있다. 소동파는 도연명이 몸을 자연에 맡겨 바람에 흔들리는 대나무처럼 자유자재하였고, 술을 얻으면 시는 저절로 이루어진다고 하여, 연명을 찬미하고 있다.

참 고

도연명, 「음주(飮酒)」 其三

도(道)가 사라진 지 천년이 되어 가니,
사람마다 그 마음을 인색하게 한다.
술이 있어도 마시려 들지 않고,
그저 세속의 명예만을 돌아본다.
내 몸을 귀하게 여기는 까닭은,
어찌 한평생에 있지 않겠소.
한평생이 또 얼마나 되는가,
빠르기가 번개의 신속함과 같다.
허무한 백년 안에,
이 세속의 명예를 가지고 무엇을 이루려 하는가.

道喪向千載, 人人惜其情.
有酒不肯飮, 但顧世間名.
所以貴我身, 豈不在一生.
一生復能幾, 倏如流電驚.
鼎鼎百年內, 持此欲何成.

◎ 주 석 ◎

• 鼎鼎(정정) : 세월을 헛되이 보내는 모양이다.

20-4. 其四

꿈틀꿈틀 이파리 먹는 벌레
하늘을 바라보며 높이 날기를 바라다가
하루아침에 두 날개가 생겨 나비가 되었는데
마침내 거미줄에 붙는 슬픔을 맛보았다네.

찍찍 우는 같은 둥우리의 참새
못에 깃들 수 있을까 기대하다가
물로 가니 드디어는 두 껍데기가 생겨나
조개가 되어 닫혀졌으니 어느 때나 날아 돌아갈까.

두 벌레 결국 누가 옳은가
일소(一笑)에 백 가지 상념이 없어지네.
이 세상에 살아있음을 다행으로 여겨
술 있거든 그대 거스르지 말게나.

蠢蠕食葉蟲, 仰空慕高飛.
一朝傅兩翅, 乃得黏網悲.
啁啾同巢雀, 沮澤疑可依.

赴水生兩殼，　遭閉何時歸.
二蟲竟誰是，　一笑百念衰.
幸此未化間，　有酒君莫違.

— 권25

◎ 주 석 ◎

- **蠢蠕**(준연) : 꿈틀거리다. 벌레가 움직이는 모양.
- **傅兩翅**(부량시) : 두 날개가 붙다. 두 날개가 생기다.
- **啁啾**(주추) : 새 우는 소리.
- **沮澤**(저택) : 늪지. 낮고 물기가 많은 땅. 물풀이 무성한 곳.
- **疑**(의) : 의심하다. 주저하다. 머뭇거리다.
- **赴水生兩殼**(부수생량각) : 물로 가니 두 껍질이 생기다. 『예기(禮記)』 「월령(月令)」 - "늦가을 달에, 참새가 큰물에 들어가 조개가 되었다(季秋之月, 雀入大水爲蛤)."
- **化**(화) : 죽다.

◎ 해 제 ◎

헛된 명리를 바라 자신의 천진함을 잃지 말고 술이 있으면 마시라고 권하고 있다. 벌레와 새로써 비유하여 자아를 반영하고 있다. 이상을 달성하고자 하였으나 모두 이제는 장애물에 걸렸듯이, 세간의 이해득실이 모두 이와 같은 것이다. 일소(一笑)에 붙이는 것만 못하니, 술을 즐기자는 것이다.
첫째 단락에서, 꿈틀거리는 벌레가 높이 나는 나비를 사모하여 바라던 대로 나비가 되었으나 마침내 거미줄에 걸리고 만다. 둘째 단락에서, 참새가 즐겁게 지저귀다가 늪에 깃들기를 기대하였다. 그러다가 결국 늪으로 가서 조개로 변해버려 결국 껍데기가 닫히는 운명이 되었다. 그리하여 마침내 예전 살던 곳으로 자유롭게 날아 돌아올 수 없게 되었다.

여기서 벌레와 새는 이상을 추구하다가 현실의 그물에 갇혀 버린 인간, 곧 소동파 자아를 상징하고 있다. 그러니 이제 시비(是非)와 근심걱정을 웃음으로 부쳐 달관하자고 자신의 내면에 울리고 있다. 이제 이 세상에 살아있음을 다행으로 여겨 술이 있거든 거스르지 말자. 곧 이상을 추구하였으나 자아와 현실세계와의 괴리가 있었으니, 그 괴리를 술로 해소하고자 한 것이다.

참 고

도연명, 「음주(飮酒)」 其四

허둥대는 무리 잃은 새가,
날이 저물었는데도 홀로 날고 있다.
배회하며 멈추어 쉴 곳이 없으니,
밤마다 우는 소리가 더욱 구슬프다.
날카로운 소리는 맑고 먼 곳 생각함이니,
오고 감이 어찌 그리 쓸쓸한가.
이윽고 홀로 자란 소나무를 만나,
날개 거두고 멀리에서 돌아왔구나.
거센 바람에 무성한 나무가 없는데,

이 그늘만이 홀로 쇠퇴하지 않았다.
몸을 의탁할 곳 이제 자리를 얻었으니,
천년토록 떠나가지 않으리.

栖栖失群鳥, 日暮猶獨飛.
裴回無定止, 夜夜聲轉悲.
厲響思清遠, 去來何依依.
因值孤生松, 斂翮遙來歸.
勁風無榮木, 此蔭獨不衰.
託身已得所, 千載不相違.

◎ 주 석 ◎

• 栖栖(서서) : 바삐 서두르는 모양이다.

20-8. 其八

나는 화당(華堂) 위에 앉아
사슴같이 고고한 자태를 고치지 않는다.
자주 촉강(蜀岡)에 올라서
기쁘게 서리 맞은 솔가지를 바라본다.

나무의 백 척 밑 뿌리에
이미 천년의 기이함이 맺힌 것을 안다.
덤불 무성한 능소화는
빙빙 둘러 다시 무엇하는가.

술잔 들어 그 뿌리에 붓노니
괜스레 일없이 서로 얽매이지 말게나.

我坐華堂上, 不改麋鹿姿.
時來蜀岡頭, 喜見霜松枝.
心知百尺底, 已結千歲奇.
煌煌凌霄花, 纏繞復何爲.
擧觴酹其根, 無事莫相羈.

— 권25

◎ 주 석 ◎

• 蜀岡(촉강) : 양주(揚州)에 있다. 촉(蜀)과 지맥(地脈)이 통한다고 한다.

◎ 해 제 ◎

동파 자신은 사슴과 같은 고고한 자태와 야성이 있으니, 소인들은 시기하지 않기를 바란다고 한다. 자주 양주의 촉강(蜀岡)에 가서 천년된 서리 맞은 소나무를 바라보며, 그 소나무에 자신을 투영한다. 소나무는 천년의 기상을 가지고 있는데, 이는 자아에 대한 자부심의 반영이다. 그 소나무를 빙빙 두르는 덤불 무성한 능소화를 소인배로 비유한다. 능소화가 소나무를 빙빙 두르는 것은 자아와 현실의 괴리를 상징한다. 그리고 '술잔 들어 그 뿌리에 부어 서로 얽매이지 말게나'라고 하는 데서, 자아와 세계의 괴리를 화해의 경지로 모색하고자 함을 볼 수 있다.

참 고

도연명, 「음주(飮酒)」 其八

푸른 소나무가 동쪽 정원에 있는데,
많은 풀들로 그 자태가 묻혔더니,
된서리에 다른 것들이 다 시들자,
우뚝하게 높은 가지를 드러낸다.
숲속에 함께 있을 때 사람들이 못 느끼더니,
홀로 솟은 나무가 되자 많은 이들이 특이하게 여긴다.
술병 가져다 겨울 가지에 걸어 놓고,
멀리 바라보기를 때때로 다시 한다.
우리 인생이 꿈과 환상의 사이인데,
어찌하여 세속의 굴레에 매일 것인가.

青松在東園， 衆草沒其姿，

凝霜殄異類，　卓然見高枝.
連林人不覺，　獨樹衆乃奇.
提壺挂寒柯，　遠望時復爲.
吾生夢幻間，　何事紲塵羈.

20-12. 其十二

나는 꿈속에 소학 시절의
떠꺼머리총각으로 돌아갔는데,
지금 이렇게 백발이 성성함을 생각 못하고
여전히 논어 글만 암송했다.

인간세상이란 본래 아이의 장난이라
전도(顚倒)하여도 대략 이와 같다.
오직 취할 때의 참됨이 있어
텅 비어 마침내 의심하지 않는다.

수레에서 떨어져도 다치지 않는다는
장자의 말은 거짓이 아니다.
아이를 불러 지필을 가져오게 해서
취어(醉語)를 곧바로 적는다.

我夢入小學, 自謂總角時.
不記有白髮, 猶誦論語辭.
人間本兒戲, 顚倒略似玆.
惟有醉時眞, 空洞了無疑.
墜車終無傷, 莊叟不吾欺.
呼兒具紙筆, 醉語輒錄之.

- 권25

◎ 주 석 ◎

- **我夢入小學**(아몽입소학) : 소동파는 어렸을 때 도사 장이간(張易簡)을 모시고 천경관(天慶觀)에서 수학했다.
- **墜車終無傷**(추거종무상) : 수레에서 떨어져도 마침내 다치지 않는다. "대개 술 취한 자가 수레에서 떨어지면 비록 빨리 달리더라도 죽는 일이란 없다. 뼈마디나 관절은 남과 같은데 상해를 입는 것이 남과 다름은 그 정신상태가 온전한 때문일세. 수레를 탔다는 것도 모르고, 떨어졌다는 것 역시 모르네(夫醉者之墜車. 雖疾不死. 骨節與人同. 而犯害與人異. 其神全也, 乘亦不知也, 墜亦不知也.)." 곽경번(郭慶藩) 집(輯), 『장자집석(莊子集釋)』 「달생(達生)」 636쪽 / 장자 지음, 김창환 옮김, 『장자외편』 475쪽.

◎ 해 제 ◎

동파는 꿈속에서 소학 시절 도사 장이간(張易簡)에게 배울 때로 돌아가 논어 글귀를 암송하였다. 그때는 지금같이 백발이 될 것을 알지 못하였다. 인간세상은 아이들의 장난처럼 그 시비(是非)가 전도(轉倒)되기도 한다. 그러나 취할 때는 참되어 인간세상 모두가 공(空)임을 안다.

그는 음주로 참된 경지에 도달하였다. 그는 음주 후에 자신의 몸을 잊었기에 두려움이 없고, 두려움이 없기에 수레에서 다치지 않는 경지에 도달하였다. 요컨대 그는 수레에서 떨어져도 죽지는 않는다는 『장자(莊子)』 「달생(達生)」의 음주의 경지를 체득한 것이다. 취함으로써 참에 이를 수 있으므로 취어(醉語)는 참됨의 표현이 될 수 있다.

참 고

도연명, 「음주(飮酒)」 其十二

장지(張摯)는 일찍이 한 차례 벼슬을 했었는데,
젊은 시절에 홀연 때를 잃었다.
문 닫고 다시는 나가지 않은 채,
종신토록 세상과 떠나 있었다.
양윤(楊倫)이 대택으로 돌아가자,
고상한 기풍이 비로소 그곳에 있게 되었다.
한번 나섰으면 마땅히 그만둘 것이니,
무엇 때문에 다시 주저하리오.
떠나서 장차 어느 길로 갈 것인가.

세속은 서로를 속이는 지가 오래되었다.
한가로운 담론은 떨쳐 버리고,
청컨대 내가 가는 곳을 따르시라.

長公曾一仕, 壯節忽失時.
杜門不復出, 終身與世辭.
仲理歸大澤, 高風始在茲.
一往便當已, 何爲復狐疑.
去去當奚道. 世俗久相欺.
擺落悠悠談, 請從余所之.

◎ 주 석 ◎

- **長公**(장공) : 서한(西漢)의 장지(張摯)로 자가 장공. 대부(大夫) 벼슬을 역임하였으나 세속과 맞지 않아 물러나서 다시는 벼슬 하지 않았다.
- **仲理**(중리) : 동한(東漢)의 양윤(楊倫)으로 자가 중리. 순제(順帝) 시기에 시중(侍中)과 태중대부(太中大夫)로 부름 받았으나 직간이 받아들여지지 않자 바로 물러났다.
- **狐疑**(호의) : 망설이다. 의심하다.

20-17. 其十七

회해(淮海)는 비록 옛 초(楚) 땅이지만
다시는 가벼운 기풍이 없네.
주방에는 청주와 탁주가 섞여있어
일 없을 때 술 마심을 낙으로 삼는다.

누가 대도(大道)를 멀다 하리요
석 잔이면 대도에 통하는 것을.
사군[나 소동파]은 저녁에는 근무하지 않아서
관아에는 칼과 활을 흩어 놓았네.

淮海雖故楚, 無復輕揚風.
齋廚聖賢雜, 無事時一中.
誰言大道遠, 正賴三杯通.
使君不夕坐, 衙門散刀弓.

- 권25

◎ 주 석 ◎

• 淮海雖故楚, 無復輕揚風(회해수고초, 무부경양풍) : 『사기(史記)』 「화식전(貨殖傳)」 - "회(淮)로부터 북쪽은 서초(西楚)인데, 그 풍속이 사납고 가볍다(自淮以北, 西楚也, 其俗剽輕)." 이제옹(李濟翁), 『자가록(資暇錄)』 - "양주는 그 토속이 가볍고 날린다. 그러므로 그 주(州)를 이름지었다(揚州者, 以其土俗輕

揚, 故名其州).”

- **聖賢**(성현) : 여기서 성(聖)은 청주를, 현(賢)은 탁주를 가리킨다.
- **誰言大道遠, 正賴三杯通**(수언대도원, 정뢰삼배통) : 이백(李白), 「월하독작(月下獨酌)」 - “석 잔이면 대도에 통하고, 한 말이면 자연에 합한다(三杯通大道, 一斗合自然).”

◎ 해 제 ◎

음주로써 대도(大道)에 통한다고 하였다. 회해(淮海), 곧 양주(揚州)는 옛 초 땅이나, 예전의 가볍고 속된 기풍이 없다. 양주지주(揚州知州)인 동파는 잡무가 없을 때면 주방에 있는 청주, 탁주를 가리지 않고 마시는 것을 낙으로 삼는다. “석 잔이면 대도(大道)에 통한다”는 구에서는 술이 마음을 호탕하게 하여 우주의 대도에 통하게 한다고 하였는데, 이에는 동파의 호방한 기개가 드러나고 있다.

참 고 ……………………………………………………

도연명, 「**음주**(飮酒)」 其十七

난초가 앞뜰에 자라는데,
향기를 머금고 맑은 바람을 기다린다.
맑은 바람이 홀연히 불어오자,

쑥대풀 가운데에서 유별남을 드러낸다.
가고 가다가 옛길을 잃었지만,
도에 맡겨 사니 간혹 통할 수도 있었지.
깨달았으면 돌아올 것을 생각해야 하니,
새가 사라지면 좋은 활도 버려진다네.

幽蘭生前庭, 含薰待清風.
清風脫然至, 見別蕭艾中.
行行失故路, 任道或能通.
覺悟當念還, 鳥盡廢良弓.

◎ 주 석 ◎

- **脫然**(탈연) : 초탈하여 구애됨이 없는 모양이다.
- **鳥盡廢良弓**(조진폐량궁) : 『사기(史記)』 「월왕구천세가(越王句踐世家)」 - "범려(范蠡)는 마침내 떠나서, 제나라에서 대부 문종(文種)에게 편지를 보내 말하기를, '날던 새가 다 잡히면 좋은 활은 사장되고, 빠른 토끼가 죽으면 사냥개는 삶아지지요. 월왕은 생김새가 목이 길고 입은 새 부리와 같아, 어려움은 함께할 수 있어도 즐거움은 같이할 수 없소. 그대는 어찌 떠나지 않는 것이오?'라고 하였다.(蠡遂去, 自齊遺大夫種書曰, 蜚鳥盡, 良弓藏, 狡兎死, 走狗烹. 越王爲人長頸鳥喙, 可與共患難, 不可與共樂. 子何不去?)"

21. 학의 탄식

鶴歎

정원에 학을 길렀는데 말을 잘 들어 부를 수 있는데
내가 불러 자리 모퉁이에 서게끔 하자
학은 난처한 표정을 띠며 물끄러미 쳐다본다.
어찌하여 내 요청에 대해 속으로 대답하기를 올빼미처럼 하겠는가.

나[소동파]의 인생은 이 세상에 나그네처럼 살고 있어 진실로 기구하고 외로운데
그대는 석 자 되는 긴 다리에 깡마른 몸을 쳐들고 있구나.

학이 말하길, "고개를 숙여 조금만 쪼아 먹어도 금방 넉넉한데
어찌하여 내가 당신의 노리개가 되겠는가?"

내가 학을 몰아 대청에 올라오게끔 하니 학이 서서 조금 있다가
던져주는 모이를 본체만체하더니

끼르륵 길게 울다가 곧 아래로 달음질쳐 달아난다.

나아가기는 어렵고 물러나기는 쉬운 데는 나는 학만 못하구나.

園中有鶴馴可呼, 我欲呼之立坐隅.
鶴有難色側睨予. 豈欲臆對如鵩乎.
我生如寄良畸孤, 三尺長脛閣瘦軀.
俛啄少許便有餘, 何至以身爲子娛.
驅之上堂立斯須, 投以餠餌視若無.
戛然長鳴乃下趨, 難進易退我不如.

— 권37

◎ 주 석 ◎

- **馴**(순) : 길들이다. 말을 잘 듣다.
- **側睨**(측예) : 흘겨보다. 물끄러미 쳐다보다.
- **臆對如鵩乎**(억대여복호) : 속으로[생각으로] 대답하기를 올빼미처럼 하겠는가. 가의(賈誼), 「복조부(鵩鳥賦)」 – "복조가 이에 탄식하더니, 머리를 들고서 날개를 떨친다. 입으로는 말할 수 없으니, 마음으로 대답해주오(鵩乃歎息, 擧首奮翼. 口不能言, 請對以臆)."
- **我生如寄**(아생여기) : 나의 인생 이 세상에 나그네처럼 살고 있어. 내 인생은 이 세상에 부쳐 살아.
- **良畸孤**(양기고) : 진실로 기구하고 외롭다. 良(양) : 진실로.
- **三尺長脛閣瘦軀**(삼척장경각수구) : 석 자 되는 긴 다리에 깡마

른 몸을 쳐들고 있다. 일설에, '석 자 되는 다리를 깡마른 몸에 숨기다'라고도 한다. 閣(각) : 높다. 쳐들다. 숨기다. 감추다.

- **何至以身爲子娛**(하지이신위자오) : 어찌하여 나 자신이 당신의 노리개가 되겠는가. 어찌하여 내 몸으로써 사람을 즐겁게 하겠는가.
- **斯須**(사수); 잠시.
- **視若無**(시약무) : 본체만체하다. 보고도 못 본 체하다.
- **戞然**(알연) : 학이 우는 소리. 끼르륵.

◎ 해 제 ◎

여기서는 학을 빌려 자신의 감개를 서술하고 있다. 시에서 묘사한 것은 오만하여 자존심이 강하고 길들여지지 않은 학이다. 사람들이 불러도 외면하며 경멸을 나타낼 뿐이다. "나 자신이 당신의 노리개가 되겠는가"라고 하여, 다른 사람의 애완물이 되기를 바라지 않는다. 또 다른 사람이 인정을 베푸는 것에 대해서도 돌아볼 가치가 없다는 태도를 취하고 있다. "던져주는 모이를 보고도 못 본 척 하고, 끼르륵 긴 울음소리를 내고는 아래로 달음질쳐 달려 내려간다(投以餠餌視若無, 戞然長鳴乃下趨)."

시의 마지막에서는, "나아가기 어렵고 물러나기 쉬운 데는 나는 학만 못하구나(難進易退我不如)"라고 하였다. 여기서의 학은 "나아가기는 어렵고 물러나기는 쉬운" 곧 세상에 가벼이 나아가지 않고 물러나 은퇴하는 것을 즐기는 고결한 선비를 상징한다. 작자는 스스로 학에 못 미치는 것을 부끄러워하고 있다. 분명히 소동파는 학을 통해 자신을 격려하고 있다. (王2)

▒해 제 _ 소동파의 생애와 관련한 황주유배 시와 사환후기 시

황주(黃州)유배기란 오대시안(烏臺詩案)이라 불리는 필화사건에 의해 소동파가 어사대(御史臺)에 구금되어 출옥(44세)한 이후 호북성 황주에 유배되었던(45-49세) 4년여의 기간을 말한다. 여기서 여주도중(汝州途中), 은거의 허락을 받아 상주(常州)로 감(50세), 그리고 등주지주(登州知州)를 제수 받을 때(50세)까지를 **'여로(旅路)'**라고 지칭하였다.

황주적거(黃州謫居 : 45-49세)는 그의 생애에 있어 커다란 전환점이 되는데, 이곳에서 과거의 나날들에 대한 깊은 반성과 침잠으로 인생에 대한 거시적 안목을 키워 나갔다. 동시에 죽음에 이를 뻔했던 강기(强氣)를 순화시키게 되었다. 그리하여 의기양양한 기상은 수렴되고 내적으로 성숙을 이루었다.

처음에 그는 하늘이 내려준 곤궁함에서 벗어날 길 없는 단절의 공간에 있다는 절박한 생각을 하게 된다. 이를 벗어나기 위해 불교와 도가사상에 몰입하여 번뇌를 극복하려고 시도하게 된다. 그리하여 이전에 충만했던 적극적 사회참여인식은 가급적 시(詩)로의 표현을 억제하면서 자신을 성찰하였다. 또한 호기심을 가지고 자연을 관조하였으며, 술을 마시며 근심을 풀고 전원농경생활을 실천하였다. 그리하여 현실세계와의 갈등양상을 조화로 전환시키려고 노력하게 된다. 이 시기는 인생의 쓴맛을 깊이 체득하고 그것을 달관함으로써 불후의 문학을 탄생시켰던 기간이다.

45세에 황주(黃州)에 도착한 동파는 시를 지어 새로운 환경에 호기심을 표현하였다. 우선 정혜원(定惠院)이란 절에 우거(寓居)하였다. 얼마 후 임고정(臨皐亭)으로 거처를 옮겼다. 이듬해 친구 마몽득(馬夢得)이 군(郡)에다 고영지(故營地) 수십 무(畝)를 요청하여 소동파가 거기서 경작할 수 있게 하였는데, 그것을 이름 지어 '동파(東坡)'라 하고 직접 경작하였다. 또 이듬해에는 '동파설당(東坡雪堂)'을 짓고 스스로 '동파거사(東坡居士)'라 호(號)하였다.

적거(謫居)라는 경제적·정신적 고통을 그는 농사를 지으면서 때로는 산수를 소요하며, 문학창작으로 극복하여 이 시기에 그의 문학이 꽃 피었다고 할 정도로 전후「적벽부(赤壁賦)」와 「염노교(念奴嬌)」(大江東去)라는 '적벽3부작(赤壁三部作)'을 위시한 많은 걸작을 남겼다. 황주에서 지은 시, 사(詞), 유기(遊記), 수필, 제발(題跋), 서간(書簡) 등 특히 순수문학작품의 수준은 상당히 높다. 더불어 그는 생활의 즐거움을 만끽하고 광달(曠達)한 정취를 즐기기도 했다. 아울러 도연명(陶淵明)의 행적과 인품을 흠모하였으며, 그의 시세계에도 경도되었다.

소동파는 절대절망의 상황에 봉착하였지만, 다시 새로운 삶의 지혜와 의미를 찾아 더욱 강인한 생명력을 내면에 키우고 있었다. 황주시절에 그는 몸소 농사에 종사하면서 인생의 깊은 맛을 체험하고, 수준 높은 시를 지었다. 인생에서 가장 고통스런 순간이 도리어 가장 빛을 발할 가능성이 있는 것처럼 그는 이 시절을 고통으로 느끼지 않고 광달(曠達), 호방(豪放), 평담한 작품을 폭넓게 창작하여 그의 문학을 예술적으로 성숙시켰다.

사환후기(仕宦後期)는 8년간(50-58세)인데, 연호에 따라 '원우 시기(元祐時期)', 혹은 '원우 경화(元祐更化)'라고도 불린다. 원우 경화는 원우 연간(1086-1093)에 사마광(司馬光)이 주축이 되어 변법파(變法派 : 신법당)를 배척하고 신종(神宗) 때의 신법을 폐지하여 구체제를 회복시킨 사건이다. 이 시기는 소동파가 한림학사(翰林學士), 항주지주(杭州知州), 영주지주(潁州知州), 양주지주(揚州知州) 등 중앙관과 지방관을 두루 거치고 나서 비록 단기간이지만 병부상서(兵部尙書), 예부상서(禮部尙書) 등 최고의 관직을 누린 기간이다.

경사(京師)에 재직하고 있던 무렵은 격렬한 당쟁과 내부의 알력이 소동파의 생활영역을 점하고 있었다. 다만 이때 그는 서화 예술에 탐닉하였고, 다수의 수준 높은 제화시(題畵詩)를 창작하였다. 더불어 시와 그림의 상통하는 원리에 바탕하여 시화합일(詩畵合一)을 주장하였다.(王水照, 『蘇軾』 108-110쪽) 이때는 순수예술적 경향의 시가 이채를 띠고 있다.

57세에는 양주지주(揚州知州)로 부임하였다. 이곳에서

흠모해 마지않았던 동진(東晉)의 대시인 도연명의「음주(飮酒)」시 20수를 추화(追和 : 고인古人의 시에 운을 따라 짓는 것)하였는데 이것이「화도음주20수(和陶飮酒二十首)」이다. 특히 도연명 시 가운데「음주」시를 가장 먼저 추화한 것은, 양주가 옛 시인들의 음주와 관련 있는 곳이고, 또한 자신이 음주 정취를 즐겼던 데에도 연유가 있을 것이다.

역자 후기

계절은 순환하여 또 봄이 되었다. 앞산에는 진달래가 만발하고, 동네에는 개나리가 활짝 피었으며, 울안에는 앵두꽃이 피기 시작했다.

본서는 송대 중국문학의 거인인 소동파의 시를 정선한 시집이다. 『소동파 시선』에 있어 두 번째 시기의 번역이다. 황주(黃州)유배기와 사환후기(仕宦後期)의 시를 대상으로 한다.

황주유배는 소동파가 오대시안(烏臺詩案)이라는 필화사건으로 생사(生死)의 기로에서 극한의 고통을 맛본 후에 생을 얻은 시기이다. 현실세계에서의 번뇌를 문학적으로 승화시키고 있다. 열악한 환경에서 자아를 찾고, 새로운 삶을 모색하고 있다. 풍파란 언젠가는 지나가게 마련이다.

사환후기는 다시 벼슬길에 몸담아, 중앙의 고관과 지방의 지주(知州)를 역임했던 시기이다. 이 시기에는 예술창작에 관련한 시가 이채를 띠고 있다.

시는 자신의 뜻을 기록한 것이다. 그의 시는 참 자아를 찾기 위한 것이며, 자기 자리를 찾기 위한 것이다. 그의 시에는 현실세계와의 갈등과 고통으로부터 마음의 평안과 초탈을 얻고 있는 과정이 드러나고 있다. 그만큼 내면의 목소리를 통해 진정한 자아를 찾는 길을 모색하고 있다. 여기서 생명이 발산하는 힘찬 에너지도 느낄 수 있다. 천재의 작품에서 내버렸던 자아를 발견하듯이, 역자에게도 모종의 힘을 주고 있다.

소동파 시에 대한 신흠(申欽 : 1506-1629, 조선조 문인)의 평론을 보자.

> 동파는 시(詩)와 문(文)이 모두 신(神)의 경지에 들어갔다 고 해야 할 것이다. 세상에서 당대(唐代)의 작품을 높이 평가하는 자들은 늘 동파를 헐뜯는데, 만약 아름답고 고운 작품을 추려내어 대략 몇 권의 책으로 만든 다음 세상에 유행시킨다면, 동파가 어찌 당대의 시인들이 그 시대에 화려하게 꾸몄던 것보다 못할 리가 있겠는가.
>
> 東坡詩文俱神境也. 世之學唐者常訾之, 若簡摘其艷麗, 略爲數卷書行于世, 何渠不若唐家時世粧耶.
>
> (申欽,『象村稿』권51「晴窓軟談」中)

여기서 신흠은 동파는 시와 문이 모두 신의 경지에 도달하였다고 극찬하고 있다. 신흠의 시대에는 당대(唐代)의 작품이 중시되고 있었다. 당대의 작품을 높이 평가하는 자들 가운데 동파를 헐뜯는 경우가 많았다. 그리고 동파의 뛰어난 작품을 추려내어 몇 권의 책으로 만들면 당대의 작품보다 못할 리 있겠느냐고 주장하고 있다.

역자는 의미 있고 가치 있는 시라고 여겨지는 시들을 선별했다. 번역과정은 쉽지 않았다. 무엇보다도 원전에 보다 충실한 번역을 이루겠다는 자부어린 희망을 가지고 고된 작업을 진행했다. 고통도 있었지만 기쁨도 컸다.

이 기쁨을 독자들과 함께 누리고 싶다.

방배동 상우재(尙友齋)에서

조규백 쓰다

2016년 4월 5일

부 록

부록 1 _ 소동파 연보

北宋 仁宗(1022~1063)

• 1세 景祐3년, 1036	12월 19일[양력 1037년 1월 8일] 四川省 眉山縣 紗縠行에서 蘇軾(號는 東坡居士) 출생. 부친은 蘇洵, 모친은 程氏.
• 3세 寶元1년, 1038	兄 景先 죽음.
• 4세 寶元2년, 1039	아우 蘇轍 출생.
• 8세 慶曆3년, 1043	小學에 들어가 眉山縣 天慶觀의 道士 張易簡에게 배움.
• 10세 慶曆5년, 1045	부친 蘇洵이 宦學여행을 떠나 모친에게서 배움.
• 12세 慶曆7년, 1047	祖父 蘇序 돌아가심. 부친 宦學에서 돌아오심.
• 19세 至和1년, 1054	眉州 青神縣人 鄕貢進士 王方의 딸 王弗(당시 16세)과 결혼.
• 20세 至和2년, 1055	부친 蘇洵이 成都를 유람하여, 張方平을 배알하니, 張方平이 一見에 國士로 예우.
• 21세 嘉祐1년, 1056	3월, 부친 蘇洵을 따라 아우 蘇轍과 함께 京師(수도 開封)에 감. 5월, 京師에 도착. 8월, 아우 蘇轍과 함께 開封府試에 합격.

- 22세 嘉祐2년, 1057　정월, 禮部試에 進士급제. 歐陽修, 梅摯, 王珪, 范鎭, 梅堯臣이 시험관임. 3월, 殿試에 及第. 5월, 모친상으로 귀향.
- 24세 嘉祐4년, 1059　모친의 服喪을 마치고, 10월, 부친 蘇洵을 모시고 아우 소철과 함께 開封을 향해 蜀을 출발. 12월 8일 荊州에 도착. 장남 邁 출생.
- 25세 嘉祐5년, 1060　정월 5일, 荊州를 출발, 2월 15일, 京師에 도착, 河南府 福昌縣 主簿로 제수받았으나 부임하지 않음.
- 26세 嘉祐6년, 1061　制科에 응시하여, 蘇軾은 제3등, 아우 蘇轍은 제4등으로 급제. 大理評事, 鳳翔府簽判에 임명됨. 11월, 부친 및 아우 蘇轍과 첫 이별. 12월 14일 鳳翔府에 도착. 16일, 孔子廟의 石鼓를 참관.
- 27세 嘉祐7년, 1062　봉상에 재직.
- 28세 嘉祐8년, 1063　봉상에 재직.

英宗(1063~1067)

- 30세 治平2년, 1065　정월, 조정에 귀환. 登聞鼓院의 判官에 임명. 直史館에 임명. 5월, 아내 王弗 죽음.
- 31세 治平3년, 1066　부친 蘇洵이 ≪太常因革禮≫ 100권의 편찬을 마치고, 4월에 서거. 이로 인해 喪具를 이끌고 6월에 향리로 향함.
- 32세 治平4년, 1067　4월 향리에 도착. 8월 선친을 眉州에서

장사지냄.

神宗(1067~1085)

- 33세 熙寧1년, 1068 — 7월 부친의 服喪을 마침. 첫 부인 王弗의 從妹 王閏之(당시 21세)와 결혼. 가족을 이끌고 아우 소철과 開封으로 향함.
- 34세 熙寧2년, 1069 — 2월 開封으로 돌아옴. 王安石과 정견이 충돌, 監官告院이 됨. 5월 왕안석의 과거시험 개혁에 반대의견 표명. 12월 <上神宗皇帝書> 제출.
- 35세 熙寧3년, 1070 — <再上神宗皇帝書>를 제출하여 신법반대. 5월 차남 迨 출생.
- 36세 熙寧4년, 1071 — 지방으로의 전출을 요청하여, 6월에 杭州通判을 임명받아, 11월 28일 着任.
- 37세 熙寧5년, 1072 — 항주통판에 재직. 4월 三男 過 출생. 6월, 望湖樓에 오름. 12월 湖州로 여행.
- 38세 熙寧6년, 1073 — 항주통판에 재직.
- 39세 熙寧7년, 1074 — 항주통판으로 재직시 朝雲을 侍妾으로 맞음. 9월 密州知州 임명받음. 12월 着任.
- 41세 熙寧9년, 1076 — 11월 河中府知府에 임명받음. 12월 密州를 떠남.
- 42세 熙寧10년, 1077 — 2월 徐州知州에 임명받음. 4월 徐州知州에 着任
- 43세 元豐1년, 1078 — 徐州에 재직. 8월 12일, 黃樓(徐州城의

동문에 黃土로 쌓은 누각) 낙성.

- 44세 元豐2년, 1079 3월 湖州知州에 임명됨. 4월 20일 湖州에 着任. 8월 18일 烏臺詩案으로 어사대의 감옥에 수감. 12월 26일 黃州로의 유배를 명령 받음.
- 45세 元豐3년, 1080 2월 1일 黃州에 着任. 定惠院에 거주. 4월 臨皐亭으로 移居. 6월 아우 소철과 武昌에 유람. 8월 아들 邁와 적벽유람. 9월 홀로 적벽유람.
- 46세 元豐4년, 1081 황주유배 계속. 정월 岐亭에 가 봉상시절의 벗 陳慥를 만남(황주에서의 4년 남짓 유배기간에 진조는 7번 오고, 동파는 3번 가서 만남). 이 해 馬夢得의 호의로 황무지를 경작, 그곳을 東坡라고 이름 지음.
- 47세 元豐5년, 1082 황주유배 계속. 2월 東坡의 옆에 雪堂을 지음. 7월에 적벽을 유람하고 <赤壁賦>를 지음. 10월 다시 적벽을 유람하고 <後赤壁賦>를 지음.
- 48세 元豐6년, 1083 황주유배 계속. 5월 南堂 낙성. 10월 12일 밤에 馬夢得과 承天寺 유람.
- 49세 元豐7년, 1084 3월 汝州團練副使 명 받음. 4월 황주를 떠남. 廬山 구경. 7월 金陵의 王安石을 방문. 10월 19일 상서를 올려 常州거주를 요청.
- 50세 元豐8년, 1085 다시 상서를 올려 常州거주를 요청. 汝

州團練副使 常州居住를 명 받음. 3월 神宗이 죽고, 어린 哲宗이 즉위, 高太后의 섭정. 5월 常州貶所 도착. 6월 朝奉郎에 복직, 登州知州에 임명됨. 10월 登州 着任. 禮部郎中으로 召還의 명 받음.

哲宗(1085~1100)

- 51세 元祐1년, 1086 — 3월 中書舍人에 임명됨. 9월 1일, 司馬光이 죽음. 조정에서는 程頤로 하여금 사마광의 장례를 주관하게 하였는데, 정이가 古禮를 따르려 하자 蘇軾이 그를 희롱하여 結怨. 9월 翰林學士知制誥로 옮김.
- 52세 元祐2년, 1087 — 翰林學士로 재직.
- 53세 元祐3년, 1088 — 翰林學士로 재직
- 54세 元祐4년, 1089 — 상주하여 지방관으로 전출을 요청. 3월 杭州知州에 임명되고, 7월에 着任. 11월 3일 <論高麗進奉狀>을 상주. 11월 13일 <論高麗進奉第二狀>을 상주. 12월 3일 <乞令高麗僧從泉州歸國狀>을 상주함.
- 55세 元祐5년, 1090 — 杭州知州로 재직. 항주 西湖에 제방[蘇堤]을 축조. 8월 15일 <乞禁商旅過外國狀>을 상주함.
- 56세 元祐6년, 1091 — 2월 翰林學士承旨로 召還의 명 받음. 7월 지방관으로 전출을 요청하여 허락을 얻음. 8월 潁州知州에 임명되어 潁州에

着任.

- 57세 元祐7년, 1092 2월 揚州知州에 임명됨. 8월 兵部尙書로 소환됨. 11월 禮部尙書 端明殿學士兼翰林侍讀學士가 됨.
- 58세 元祐8년, 1093 禮部尙書에 재직. 2월 1일, 2월 15일, 2월 26일 각기 <論高麗買書利害劄子三首>를 상주함. 8월 아내 王閏之가 죽음. 9월 定州知州에 임명됨. 10월 23일 定州에 着任.
- 59세 紹聖1년, 1094 6월 惠州(建昌軍司馬惠州安置)로의 유배 명령. 셋째 아들 過와 朝雲을 데리고 大庾嶺을 넘어, 10월 2일 혜주에 도착, 合江樓에 寓居, 18일 嘉祐寺로 이사.
- 60세 紹聖2년, 1095 惠州에 있었음. 3월 19일 合江樓로 이사.
- 61세 紹聖3년, 1096 惠州에 있었음. 4월 20일 다시 嘉祐寺로 이사. 7월 朝雲이 죽어, 8월에 조운을 豊湖의 棲禪寺 동남쪽의 松林에 매장.
- 62세 紹聖4년, 1097 2월 14일 白鶴峰 新居로 옮김. 4월 17일 瓊州別駕 昌化軍安置의 명을 받음. 막내아들 過를 데리고 海南島로 출발. 5월 11일 雷州로 유배가는 도중인 아우 蘇轍과 藤州에서 상봉하여 雷州까지 동행, 6월 11일 형제의 영원한 이별. 渡海. 7월 配所 도착. 12월 19일(동파의 생일)

	에 아우 蘇轍이 동파의 요청으로 <東坡先生和淵明詩引>(一名, <子瞻和陶淵明詩集引>)을 지음.
• 63세 紹聖5년, 1098	海南島 儋州에 있었음.
• 63세 元符1년, 1098	儋州에 있었음. 5월 桄榔庵 새 거주지 완성. 9월 天慶觀 유람.
• 64세 元符2년, 1099	儋州에 있었음.
• 65세 元符3년, 1100	1월 12일, 哲宗이 죽고, 徽宗이 즉위. 5월 廉州安置를 명 받음. 渡海. 7월 4일 廉州 도착. 8월 舒州團練副使, 永州居住를 명 받음. 8월 29일 廉州를 떠남. 11월 朝奉郎에 복직, 提擧成都府玉局觀에 임명, 거주 자유.

徽宗(1100~1125)

• 66세 建中靖國1년, 1101	5월 여행도중 병에 걸려, 常州에서 누움. 6월 常州에서 上奏하여 致仕함. 7월 28일 別世.
• 崇寧1년, 1102	閏6월 汝州 郟城縣(겹성현)의 峨眉山에 장사지냄. 부인 王閏之와 合葬. 아우 蘇轍이 형의 墓誌銘(<亡兄子瞻端明墓誌銘>)을 지음.

부 록 2 _ 소동파의 관직이동표

	貶謫 시기	地方官 시기	中央官 시기
1期 : 科擧應試期 및 仕宦前期		鳳翔簽判(첫 부임지 : 26~29) 杭州通判(36~39) 密州知州(39~41) 徐州知州(42~44) 湖州知州(44)	科擧合格(21, 22, 26歲) 母喪歸鄕(22~24) 判登聞鼓院(30) 直史官(30) 父喪歸鄕(31~33) 監官告院(34~36) 地方官自請(36) 烏臺詩案(入獄)(44)
2期 : 黃州流配期	黃州團練副使(45~49) 汝州團練副使의 命(49) 赴任途中(49~50) 隱居 目的의 常州居住 認可 常州 宜興 到着(50)		

3期: 仕宦後期		登州知州(50)	禮部郎中(50)
			起居舍人(50)
			中書舍人(51)
			翰林學士知制誥(51)
			翰林學士(52~54)
		杭州知州(54~56)	地方官自請(54)
		潁州知州(56~57)	翰林學士承旨(56)
			地方官自請(56)
		揚州知州(57)	兵部尙書(57)
			禮部尙書端明殿學士兼翰林侍讀學士(57~58)
		定州知州(58~59)	禮部尙書(58)
		惠州安置 命(59)	
4期: 惠州, 海南島流配期 및 北歸	惠州安置(59~62)		
	瓊州別駕昌化郡安置命(62)		
	儋州貶謫(62~65)		
	廉州安置 命(65)	朝奉郎,	
	廉州到着(65)	提擧成都玉局觀,	
	舒州團練副使,	居住自由(65)	
	永州居住 命(65)		
		常州到着, 致仕(66)	
		別世(66)	

부 록 3 _ 소동파 시 작품 색인

ㄱ>

ㄴ>

ㄷ>

ㅁ>

ㅂ>

ㅅ>

ㅇ

ㅊ>

ㅎ>

주요 참고문헌

_ (淸) 王文誥 輯註, 孔凡禮 點校,『蘇軾詩集(全8冊)』 中華書局, 1982 第1版, 1987 2刷.

_ 孔凡禮 點校,『蘇軾文集(全六冊)』 中華書局, 1986, 第1版, 1990 2刷.

_ 孔凡禮 · 劉尙榮 選注,『蘇軾詩詞選』 中華書局, 2005.

_ 金學主 譯著,『宋詩選』 明文堂, 2003.

_ 徐永年 · 曹慕樊 主編, 西南師範大學 中文系 古典文學 敎硏室 選注,『東坡選集』 四川人民出版社, 1987.

_ 吳鷺山 · 夏承燾 · 蕭湄 合編,『蘇軾詩選註』 百花文藝出版社, 1982.

_ 王水照 選注,『蘇軾選集』 上海古籍出版社, 1984 第1版, 1999 3刷.

_ 왕수이자오 著, 曹圭百 譯,『소동파평전 - 중국의 문호 소식의 삶과 문학』 돌베개, 2013.

_ 王水照 · 王宜瑗 選注,『蘇軾詩詞選注』 上海古籍出版社, 1990.

_ 劉乃昌 選注,『蘇軾選集』 齊魯書社, 2005.

_ 曹圭百 著,『蘇東坡 詩 硏究』 역락, 2012.

_ 曾棗莊·曾濤 選注,『三蘇選集』 黑龍江人民出版社, 1993.

_ 陳邇冬 選注,『蘇軾詩選』 人民文學出版社, 1957 第1版, 1984 第2版, 1990 印刷.

저자 소개 _ 소동파蘇東坡

소동파(1036-1101, 음력)는 중국이 낳은 최고의 문인 중 한 사람이다. 그가 살았던 북송(北宋)은 중국의 문예부흥의 시대라고 할 수 있는 시기로 자유스런 사고와 개성을 중시하였으며, 유불도(儒佛道)사상이 합류(合流)하는 기풍이 있었다. 그는 시, 사(詞), 산문, 부(賦) 등의 문학영역은 물론 서법, 회화, 의학, 경학(經學), 요리에도 조예가 깊었으며 또한 정치가, 행정가이기도 하였다. 그는 스스로 유가(儒家)임을 자부하면서도 도가와 불가사상에 대해서 개방적이면서 포용적인 자세를 견지하고 있다.

소동파는 송시(宋詩)의 전형적인 특성을 확립시킨 시인이며, 산문에 있어서는 당송팔대가의 한 사람이다. 그의 문학은 삼라만상을 포괄할 정도로 방대한 스케일을 지니고 있고, 삶의 지혜를 밝혀 낼만큼 깊으며, 자유분방하다. 또한 신선함, 통찰력, 그리고 창조성을 느낄 수 있다. 그리고 사고가 깊고 학문의 넓이와 깊이가 있으며 기지가 있다. 사대부의 의식세계를 반영하고 있으며, 유불도 사상이 합류되어 있고, 인생철리가 함유되어 있다. 거시적・미시적 안목을 두루 갖춘 그의 문학예술은 시대를 초월하여 독자에게 깊은 감명을 준다.

역자 소개 _ 조규백曹圭百sudongpo@hanmail.net

1957년생. 한국외국어대 중국어과를 졸업하고, 성균관대 중문과에서 박사학위를 받았다. 국립대만대학(國立臺灣大學) 중문과 방문학인(訪問學人), 복단대학(復旦大學) 중문과 박사후연구원(한국학술진흥재단 지원), 중국 사천대학(四川大學) 고적연구소(古籍硏究所) 연구학자(硏究學者)를 역임했다. 민족문화추진회(현 한국고전번역원) 국역연수원에서 중국고전을 배웠으며, 이어서 한학자 고(故) 연청(硏靑) 오호영(吳虎泳) 노사(老師)께 한학(漢學)을 사사하였다. 성균관대, 숭실대 강사와 제주관광대학 교수를 역임했다. 현재는 한국외국어대에서 강의하고 있다.

• 저역서

『史記世家(下)』(共譯) 圖書出版 까치, 1994.

『濟州觀光中國語會話(上, 下)』(共著) 白山出版社, 2000.

『千字文註解(前)-아들을 위한 千字文』 曹圭百 註解, 白山出版社, 2002.

『譯註蘇東坡散文選』 蘇東坡 著, 曹圭百 譯註, 白山出版社, 2005.(2011, 수정판)

『蘇東坡詞選』 蘇東坡 著, 曹圭百 譯註, 文學과 知性社, 2007.

『蘇東坡詩選集(上)－텅 비니 만 가지 경지가 다 담기네』蘇東坡 著, 曹圭百 譯註, 學古房, 2010.

『唐詩三百首精選』 孫洙 編, 曹圭百 譯註, 學古房, 2010.(2012, 개정판)

『千字文註解(後)－아들을 위한 천자문』周興嗣 著, 曹圭百 譯註, 白山出版社, 2011.

『蘇東坡 詩 硏究』曹圭百 著, 亦樂出版社, 2012.

『소동파평전 - 중국의 문호 소식의 삶과 문학』왕수이자오 著, 조규백 역, 돌베개, 2013.

『한국 한문학에 끼친 소동파의 영향』조규백 저, 명문당, 2016.

• 논문

「『詩經 · 鄭風』 愛情詩小考」

「千古의 名作 蘇東坡 前後「赤壁賦」의 文學世界 探索」

「宋朝蘇東坡與朝鮮朝金秋史之比較研究－以蘇東坡海南島與金秋史濟州島流配文學爲中」

「蘇東坡의 海南島 流配詩 探索」 등 다수

숭실대학교 한국문학과예술연구소 학술총서 50

소동파 시선 - 황주유배와 사환후기

초판 인쇄 – 2016년 5월 25일
초판 발행 – 2016년 5월 30일

저 자 – 소 동 파
역 자 – 조 규 백
발행인 – 金 東 求
발행처 – 명 문 당(창립 1923년 10월 1일)
서울특별시 종로구 윤보선길 61(안국동)
우체국 010579-01-000682
전 화 (02) 733-3039, 734-4798
FAX (02) 734-9209
Homepage www.myungmundang.net
E-mail mmdbook1@hanmail.net
등록 1977.11.19. 제1-148호

■

* 낙장 및 파본은 교환해 드립니다.

* 정가 18,000원

ISBN 979-11-85704-67-8 03820